Cartomancia

Em Busca de uma Ciência Adivinhatória

Jade Amud

Cartomancia

Em Busca de uma Ciência Adivinhatória

MADRAS®

© 2013, Madras Editora Ltda.

Editor:
Wagner Veneziani Costa

Produção e Capa:
Equipe Técnica Madras

Revisão:
Neuza Roza
Arlete Genari
Francisco Jean Siqueira Diniz

Dados Internacionais de Catalogação na Publicação (CIP)
(Câmara Brasileira do Livro, SP, Brasil)

Amud, Jade
Cartomancia: Em Busca de uma Ciência Adivinhatória/
Jade Amud. – 1. ed. – São Paulo: Madras, 2013.
Bibliografia

ISBN 978-85-370-0860-7

1. Cartomancia 2. Esoterismo 3. Magia I. Título.

13-05587   CDD-133.3242

Índices para catálogo sistemático:
1. Cartomancia : Artes adivinhatórias:
Ciências esotéricas 133.3242

É proibida a reprodução total ou parcial desta obra, de qualquer forma ou por qualquer meio eletrônico, mecânico, inclusive por meio de processos xerográficos, incluindo ainda o uso da internet, sem a permissão expressa da Madras Editora, na pessoa de seu editor (Lei nº 9.610, de 19.2.98).

Todos os direitos desta edição reservados pela

MADRAS EDITORA LTDA.
Rua Paulo Gonçalves, 88 – Santana
CEP: 02403-020 – São Paulo/SP
Caixa Postal: 12183 – CEP: 02013-970
Tel.: (11) 2281-5555 – Fax: (11) 2959-3090
www.madras.com.br

"De todas as coisas que existem, algumas estão ao nosso alcance e outras não. Estão ao nosso alcance: o pensamento, os impulsos, o querer e o não querer – tudo aquilo cujo resultado são nossas próprias ações. Mas existem coisas que surgem sem que possamos interferir. Nesse caso é preciso saber olhar com sabedoria o que se passa. O que perturba o espírito do homem não são os fatos, mas o julgamento que fazem a respeito dos mesmos. Não peça que tudo na vida siga o caminho de sua vontade. Reze para que as coisas aconteçam como elas precisam acontecer e verá que tudo é muito melhor do que você estava esperando."

Epicteto

Agradecimentos

Agradeço à "Divina Providência" e à "Ordem Universal" pela possibilidade de minha existência neste planeta, a todas as situações que enfrentei até hoje, aos meus mentores de luz e ao Victor Westmann, idealizador destes escritos, que sempre me incentivou e me apoiou. Ao José Manoel das Neves Oliveira pelo incentivo, não somente destes escritos, mas pelo apoio geral em minha vida.

Agradeço ao meu irmão Comanche, também, pelos incentivos com as teorias.

Ao Simon Witley, grande divulgador de baralhos antigos do mundo por meio de seu site, cujas imagens belíssimas ajudaram-me, e muito, a colocar minhas ideias no papel e a dar exemplos de possíveis interpretações das cartas neste livro, meus agradecimentos sinceros.

À minha família e aos amigos, que me incentivaram sempre.

Ao Nicolas Ramanush pela revisão dos conteúdos.

Dedicatória

Jamais poderia deixar de dedicar estas páginas às mulheres de minha família. Primeiramente, à minha bisavó Rosa Hipólito, que atravessou o Oceano Atlântico com seu marido, no início do século XX. Genovesa forte, que ficando viúva muito cedo, criou e sustentou seus filhos sozinha e foi quem trouxe a cartomancia também para o Brasil. E nas noites paulistas são-carlenses, e em uma mesa simples, lia as cartas para minha avó, sempre falando em italiano para que minha mãe e minhas tias não as compreendessem.

Para minha mãe, Lúcia Helena Bonadio, que possuía forte intuição e dons premonitórios, e que lia as cartas desde muito nova, a qual nunca me deixava olhar as consultas, quando eu era pequena.

Para Silvana Borzani dos Santos, admirável amiga e incentivadora durante minha adolescência e, acima de tudo, especial amiga de minha mãe.

Para minha pequena sobrinha, Maria Júlia Vieira Monteiro, e para meu incentivador, Victor Westmann.

Aos meus irmãos Cheyenne, Comanche, Regina, César (*in memoriam*), Solange e toda minha família. A todos os amantes do simbolismo das cartas, com muito carinho.

Índice

Introdução 13
Para que servem as cartas do baralho – Definição de oráculo – Objetivo – Justificativa

Conceitos Preliminares 15
Uso das cartas – O oráculo – Preceitos de cartomante – O simbólico nas cartas – "Eu Superior" × "Eu Ego"– A palavra – Relação informal: Universo ←→ Oráculo

A Importância da Sensibilidade e da Intuição 25
A sensibilidade e seu desenvolvimento – A intuição e seu desenvolvimento – Carl Gustav Jung e arquétipos – Jung e sincronicidade

Uma Breve História Introdutória da Cartomancia
e dos Ciganos 29
A interpretação das cartas – Origem das cartas e dos ciganos – Os ciganos na Europa – Os ciganos no Brasil – Século XX: Ciganos na Bulgária e na França – Porcentagem de ciganos no mundo e no Brasil atual – Origem do baralho e de suas cartas – A inquisição: ciganos e o baralho

A Cultura Cigana 33
Família e amor – Cultura: língua, nomadismo, dança e música – Fé

Artefatos Básicos de um(a) Cartomante 37
Consagrando as Cartas do Baralho 39
Alguns Símbolos de Poder 43
Estrela de seis pontas – Rosa desabrochando – Serpente – Coruja – Cálice com água ou vinho – Punhal – Moedas – Âncora – Chave – Estrela de cinco

pontas – Ferradura – Roda da fortuna – Lenços – Pandeiros – Castanholas – Xale – Maçãs

Tipos de Baralhos e Algumas Possíveis Interpretações 45

O Significado das Cartas do Baralho 67
Naipe de copas: Elemento água – Naipe de paus: elemento fogo – Naipe de espadas: elemento ar – Naipe de Ouros: elemento terra

Métodos para a Leitura das Cartas 151
1) Método simples das quatro cartas – 2) Método para futuro próximo – 3) Método das nove cartas – 4) Método do sol – 5) Método da Espiral – 6) Método da cigana Lúcia – 7) Método para o amor

Considerações Finais 159
Referências das Figuras 161
Referências Bibliográficas 163

Introdução

A interpretação das cartas comuns do baralho ou dos arcanos menores do tarô é uma prática oracular[1] muito antiga. Ela revela caminhos pelos quais podemos interferir em nossas vidas, dá conselhos para que possamos nos tornar seres verdadeiramente humanos e, assim, evoluirmos em nossa missão no planeta, mas também mostra aquilo em que não podemos interferir: os nossos destinos. Ainda, indica a trilha do autoconhecimento agindo como terapia de cura, como forma de lapidar as pedras brutas de nosso "Eu" (ego) e de nosso "Eu Superior", que é a centelha divina que habita nosso interior, bem como o interior de todos os seres vivos. Como Carl Gustav Jung já disse: "permite o conhecimento da essência do inconsciente.[2]

As cartas manifestam a energia inconsciente individual, os estados profundos de nossas emoções, anseios, dúvidas, cobranças e instintos por meio de seus números, cores, imagens e da história e significado que cada uma possui.

---

1. O oráculo é o portal que nos liga diretamente ao Universo, que é a força inteligente, perfeita e organizadora de toda a vida, também conhecido por outros nomes, como "Deus", é o instrumento de perfeição. A prática oracular é o uso dos oráculos (portais do Universo), e estes agem através de um meio material marcado por um código que emitirá a mensagem, como as cartas do baralho. Outros exemplos de oráculos são: as runas vikings, outros tarôs com seus arcanos maiores, moedas, I ching, os búzios, entre outros. As cartas apresentam um código formado por números, letras, figuras, cores... Suas inúmeras combinações formam mensagens que serão interpretadas pelo(a) cartomante, por isso, um oráculo pode ser compreendido também como uma linguagem de símbolos. O oráculo é uma saída e uma entrada para o Universo.

2. O inconsciente, de acordo com Freud, é a parte mais antiga da mente humana. Só podemos ter acesso a essa parte por meio de símbolos, ou seja, o inconsciente comunica-se pela linguagem simbólica. Os sonhos são muitas vezes mensagens do inconsciente, por isso algumas pessoas têm previsões por meio deles. Outra forma de acesso ao inconsciente e às suas previsões dá-se pelo acesso à linguagem simbólica dos oráculos. O próprio Carl Gustav Jung estudou o tarô com a finalidade de descobrir mais sobre a ligação do mundo simbólico com o inconsciente.

O objetivo deste livro é trazer a público o conhecimento desse maravilhoso e popular oráculo, as cartas do baralho, mas sob uma visão mais próxima da ciência. Para tanto, tentamos nestas páginas buscar conceitos mitológicos, filosóficos, históricos e simbólicos sobre a arte da cartomancia e do mistério que envolve esta prática oracular antiquíssima. Tentamos conciliar a teoria às possíveis práticas da interpretação das cartas, realizando analogias e reflexões.

Há duas justificativas para estes escritos: a primeira como tentativa de manter vivo esse conhecimento, que pertence à minha família e também a um povo, que até hoje sofre inúmeras perseguições e preconceitos, os ciganos. Outra justificativa é a hipótese de que esse conhecimento pode ser estudado em linhas científicas, dentro de análises semióticas.

Conceitos Preliminares

As cartas comuns, além de ser usadas para jogos foram, e são ainda, utilizadas como oráculo para previsão do futuro e intervenção no presente, isto quando certos acontecimentos podem ser mudados, quando não estão envolvidos por forças superiores, as quais não controlamos, ou seja, pela força do destino.

Para utilizar um oráculo, é necessário sabedoria e equilíbrio, pois ele é o canal que nos liga com o Universo e com nosso "Eu Superior". A coragem é essencial na interpretação das cartas, porque há revelações agradáveis e desagradáveis, como a morte de um ente querido ou uma traição. No entanto, a verdade é a companheira leal da evolução de nosso discernimento da realidade.

Um oráculo é uma saída para a perfeição do Universo e seu auxílio, e o(a) cartomante deve estar em equilíbrio e sintonia com ele, entrando nas energias perfeitas e inteligentes que o constituem por meio do desenvolvimento de sua sensibilidade e ética.

Os povos primitivos das carvernas acreditavam nas energias perfeitas e superiores da Natureza, assim como os povos antigos: mesopotâmios, egípcios, indianos, chineses, astecas, maias, incas,

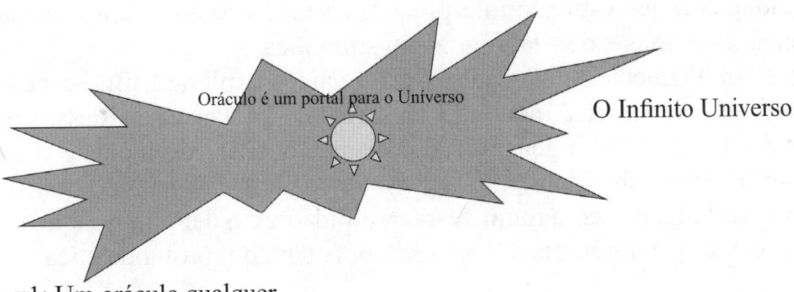

Fig. x1: Um oráculo qualquer

persas...O sagrado sempre fez parte do ser humano e esse sagrado estava presente não somente na força destruidora e geradora da vida, da Natureza, mas também em alguns seres considerados superiores e dotados de super-poderes, os deuses, os quais eram personificações dos poderes da Natureza. Mas, afastando-se um pouco do conceito religioso e aproximando-se de um conceito filosófico, foi com as ideias do filósofo grego, Heráclito, por volta do século V a.C., que o conceito de mundo em movimento e harmonia dos contrários surge. Esse conceito está em sua célebre afirmação: "Nos mesmos rios entramos e não entramos, somos e não somos". O mundo para Heráclito seria um infinito vir a ser, um mundo no qual nada está parado, mas tudo em movimento e onde existe uma inteligência governadora e ordenadora de forças contrárias, opostas. A realidade é regida pelo movimento e ordenação, mistura das forças contrárias. Essas tensões entre contrários formam a unidade de tudo. A própria ordem e harmonia do mundo é gerada pelas tensões contrárias.

O Universo surgiu de uma grande explosão, o *Big-Bang*, segundo os físicos; ele está em constante expansão. O planeta Terra também se movimenta em torno do seu próprio eixo, em torno do Sol; as placas tectônicas, em alguns locais do globo, estão ainda se encontrando e, em outros locais, afastando-se. Tudo está em movimento e segue uma ordem perfeita. O espermatozoide encontra-se com o óvulo e a vida reinicia; após a morte, as bactérias e os fungos decompositores alimentam o solo e as vegetações. Tudo é cíclico, tudo é movimento. E é nessa energia de perfeição em que acessamos os oráculos, assim como nossas essências superiores, ou Eus Superiores ou, simplesmente, nossos inconscientes coletivos e individuais, como afirmou Jung. Talvez, o destino seja essa força em movimento, na qual não podemos interferir.

A cartomante entra nessa energia de perfeição do Universo quando aciona os oráculos, mas estando sempre em equilíbrio. Cartomante é aquele(a) que estuda e interpreta as cartas. A cartomancia é o estudo ético das cartas e de sua linguagem simbólica.

Infelizmente muitos falsos cartomantes exploram o desespero de milhares de pessoas, mentindo e usurpando-as. Por causa desses maus exemplos, criou-se a generalização de que todo(a) cartomante é "charlatão(ã)" e "vagabundo(a)". Este livro tem a forte intenção de usar o termo "cartomante" com muita responsabilidade, e o definimos, aqui, como aquele(a) que interpreta a linguagem oracular com profunda ética.

Conceitos Preliminares

Ser um(uma) cartomante verdadeiro(a) implica agir na arte oracular das cartas do baralho segundo os seguintes ideais:

1) Ser ético(a), isto é, não fazer com os outros (pessoas, animais, seres vivos em geral) aquilo que não gostaria que fosse feito com sua própria pessoa;
2) Colocar-se sempre na situação do outro;
3) Nunca mentir e jamais usar o oráculo e as cartas para fins egoístas;
4) Cobrar um valor simbólico pela consulta das cartas e utilizá-lo para investir em artefatos, como: cristais, pedras, incensos, essências, etc., ou em livros, cursos e viagens. *Pela tradição de alguns grupos ciganos, deve-se sempre cobrar a consulta.*

O valor cobrado nas consultas tem uma energia que envolve o carma do consulente, que é aquele ou aquela que irá buscar conselhos do(a) cartomante. A taxa cobrada envolve um conceito também simbólico, o simbolismo do ouro. O ouro é representado pelo valor em moeda corrente, mas este não representa somente o conceito de dinheiro capitalista ou de valor de troca de trabalho; ele simboliza a vida e a transmutação do carma do consulente. O carma é um conceito antigo indiano, que significa ação e reação, isto é, toda ação humana perante outros seres será devolvida pelo Universo; igualmente, isto envolve tanto as ações boas como as ações más; o sofrimento causado em outro ser retornará igualmente, e em alguns casos, até em maior proporção, ao causador desse sofrimento. Acredita-se também que o valor cobrado na consulta trará prosperidade tanto à cartomante quanto ao consulente. O ouro é um metal sagrado que carrega as energias simbólicas da vida, da alegria, da saúde, da sorte e da prosperidade em geral; entenda-se prosperidade como algo muito além do acúmulo material, mas como abundância material, espiritual e emocional. Por tudo isso, é necessário que a consulta seja cobrada, pois a energia da tradição é tão forte no inconsciente coletivo, que pode inclusive fazer com que a consulta não dê certo, caso ela não seja cobrada.

5) Não se envolver com o consulente, ou seja, ser o mais neutro possível, agindo sem interferir nas mensagens oraculares com sua opinião pessoal e/ou com sua própria vontade;
6) Seguir os preceitos citados acima e praticar mentalizações, afirmações, mantras, orações, contato com a Natureza pela contemplação amorosa, respeito por si mesmo como pelo próximo

(pessoa, animal, vegetal), dominar sua mente, controlando seus pensamentos, mantendo-os abertos para as coisas boas, para o lado otimista sempre, assim, o(a) cartomante será um puro instrumento do Universo e logo praticará a interpretação correta das mensagens das cartas. É necessário que o(a) cartomante busque sempre o equilíbrio interior/emocional/espiritual e físico para que ele(a) entre em contato com uma atmosfera neutra, que é essencial para a conexão com o Universo e sua energia superior;

7) Ser oraculista é praticar um estilo de vida correto e ético, livre da vaidade e do egoísmo humano, pois estes somente destroem o mundo, as pessoas e o próprio ser que carrega consigo esses sentimentos;

8) Ter em mente que a cartomancia é a ciência das cartas e de sua linguagem simbólica, ou seja, é uma ciência semiótica.[3]

Para entendermos melhor sobre semiótica ou ciência semiótica, precisamos retornar à Linguística.

Ferdinand de Saussure é considerado o grande criador da Linguística, que é o estudo da língua, e do conceito de signo, que seria uma junção entre um significado e o seu significante. Para ele a semiótica é o estudo dos signos em geral.

Após Saussure, temos Charles Sanders Peirce, que adentrou nos estudos semióticos criando três conceitos fundamentais, os quais serão de grande importância para nossos estudos da cartomancia, sendo eles: os índices, os ícones e os símbolos.

Os índices são pistas; estão ligados ao que são e ao que representam, significando aquilo que são. Por exemplo, se estivéssemos na floresta Amazônica e verificássemos uma pegada grande, aparentemente de um felino, isto nos faria pensar que esse animal teria passado pelo local em algum momento.

Os ícones são miniaturas daquilo que representam, daquilo que significam, como uma placa na estrada com um telefone pintado, o que indicaria que naquela paragem haveria um telefone.

Já os símbolos, que nos interessam mais em nossa análise das cartas, representam significados que não estão envolvidos à sua estrutura, inclusive podem conter mais de um significado, podem ser plurissignificativos, como metáforas. As cartas do baralho são símbolos que representam na cartomancia significados diferentes de seus naipes, de seus números e de suas figuras. Um sete de ouros não representa apenas o número 7 e o naipe de ouros, por exemplo. Esses significados estão

---
3. Segundo o pai da Linguística, Saussure, "a semiótica é o estudo geral dos signos".

dentro de significados, ou seja, para compreendê-los devemos ter um arcabouço de conhecimentos prévios, anteriores, e saber não somente o significado de cada carta, assim como relacioná-los a conceitos e aos significados e conceitos de outras cartas próximas, formando assim a mensagem que deverá ser interpretada pela cartomante ao consulente. Por isso, a cartomancia está dentro de uma ciência semiótica, pois é totalmente constituída de linguagem simbólica.

A cartomancia deve ser encarada enquanto uma ciência, ou seja, o conhecimento das cartas, assim como o(a) cartomante deverá ser um(a) pesquisador(a) constante na arte da interpretação desse oráculo, pois o conhecimento é sempre construído não somente pelos significados das leituras, mas também pela interpretação das pessoas que irão buscar o auxílio do(a) cartomante. E a ética é o grande espelho, que reflete nossos atos por meio da lei de ação e reação.

Para compreender melhor o simbólico e obter conhecimentos prévios para atingir os significados imbrincados, o(a) cartomante deverá ler muito sobre história geral, mitologias, literatura universal e filosofia, linguística semiótica, física, além de boas e clássicas obras ocultistas.[4] Ter em mente que o conhecimento é importante para construção de uma interpretação profunda e rica, livre de opiniões pessoais, sustentada por sua intuição, mas também por critérios lógicos interpretativos.

Interpretar a linguagem não verbal das cartas implica percebermos o que está sendo transmitido pelo seu código não verbal, o código simbólico, e seguirmos um raciocínio interpretativo das metáforas por trás de outras metáforas que envolvem qualquer linguagem simbólica oracular.

Conforme a filósofa Marilena Chauí, o filósofo grego Heráclito foi um grande construtor de enigmas. Ele afirma: "O senhor a quem pertence o oráculo de Delfos não manifesta nem oculta o seu pensamento, mas o faz ser visto por sinais". De acordo com a interpretação desse trecho pela filósofa e professora, em seu livro *Introdução à História da Filosofia: dos pré-socráticos a Aristóteles*, Heráclito nos dá a entender que conhecer é desvendar sinais, decifrar e interpretar signos e que os sinais da verdade são enviados pelo pensamento e pela palavra, a qual ele chama de *logos*, mas que esse *logos* é uma razão e uma linguagem universal ou cósmica presente no mundo e nos seres humanos. O Universo possui uma razão e uma linguagem simbólica que também é presente em cada ser humano.

---

4. Ao fim deste livro há uma lista de obras e *sites* para um arcabouço básico de literatura e de estudos do(a) cartomante.

O cartomante deve estudar e equilibrar-se para acessar essa força e essa linguagem simbólica.

Além do oráculo, que serão as cartas enquanto linguagem do Universo, e do cartomante, a prática também envolve o consulente, que é o indivíduo que irá procurar o cartomante, por isso, o oráculo também envolve a linguagem do "Eu superior" do consulente e do "Eu superior do(a) cartomante".

Na literatura antiga indiana dos *Vedas*, há uma passagem na qual se refere aos "eus":

"O *ãtman*, o Si mesmo, desvinculado de todo o mal, não sujeito à velhice, nem à fome, nem à sede, cujos desejos e cujos pensamentos são realidade, que é preciso procurar, que é preciso tentar conhecer. Aquele que atinge esse *ãtman*, esse Si mesmo, e o conhece, obtém todos os mundos e todos os seus desejos". (CALASSO, 1999, p. 192)

O "Si mesmo" é a centelha da energia do Universo que habita cada coração e que está à espera do despertar; ele é o "Eu Superior" de cada ser vivo. Esse "eu" deve ser ouvido pelo(a) cartomante e este(a) deve incentivar o despertar do "eu" de cada consulente. Esse "Eu Superior" de cada um revela a verdade do Universo, e é por ele que obtemos nossa intuição. As mensagens do oráculo são sintonizadas com os "eus superiores" tanto do cartomante quanto do consulente. Esse "eu superior" também pode ser interpretado como o inconsciente individual do cartomante e do consulente.

Para Freud, o inconsciente é a parte mais antiga e maior da mente humana, é uma região na qual há somente a comunicação simbólica. Local em que estão os nossos instintos, nossos mistérios, nossos sonhos e a nossa intuição.

As diferenças do "Eu Superior" e do "Eu ego" pelos *Vedas*:

"(...) o Si olha o eu, o eu não olha o Si. O eu come o mundo. O si olha o eu que come o mundo. São dois pássaros, estão em ramos opostos da mesma árvore, na mesma altura, à mesma distância do tronco. Para aquele que os olha, são quase iguais. (...) Ninguém pode separá-los. As primeiras palavras que o Si disse foram: 'Eu sou'. O existente ainda não havia se manifestado quando o Si disse 'Eu sou'. O eu deve sua existência somente ao fato de ter sido pronunciado pelo Si. (...) Por isso falamos deles e eles falam".
(CALASSO, 1999, p.192-193)

O "eus" são opostos, mas ambos necessários; a diferença é que o Si, o "Eu Superior" criou o "Eu Ego", enquanto o "Eu superior" vê o "Eu ego", este não sabe da existência de seu criador. O "Eu ego" vive do consumo do mundo e, quando não é controlado pelo seu criador, destrói aquele que o habita e tudo ao seu redor. Esta passagem também é interessante, quando se refere ao "falar desses eus". Eles falam e nós falamos deles. O ato de interpretação oracular envolve o falar dos "eus opostos também", sendo que nossas aflições são ditadas pelo "Eu ego" e sanadas pelas respostas simbólicas do "eu superior" manifestadas por meio da linguagem imagética das cartas. Podemos fazer uma aproximação do "eu ego" com o consciente e do "Eu Superior" com o inconsciente.

Segundo, ainda, pela interpretação dos *Vedas*, antigas e sagradas inscrições indianas, pelo escritor italiano, Roberto Calasso, somente a palavra e sua entoação sábia e correta pode elevarnos à luz e superarmos o ciclo de morte-vida-morte:

> "Vãc: Voz, Palavra. Mesmo que ilustres estudiosos quase não registrem sua existência, Vãc foi uma potência na origem do mundo. Seu lugar é nas águas, que ela forjou. Mulher elegante, enfeitada de ouro, búfala celeste, soberana das mil sílabas, noiva fatal, mãe das emoções e dos perfumes. (...) Guardiã da disparidade, desce do alto e roça apenas seus prediletos". (CALASSO, 1999, p. 202)

A palavra originou o mundo e das águas ela surgiu como uma bela mulher que escolhe seus prediletos. Ela é um elemento feminino e carrega todas as características da mulher: as emoções, a maternidade... pois criou o mundo, e sua ira também, que é o resultado de suas emoções profundas quando são ofendidas. O elemento água sempre foi feminino e representa as emoções humanas. No útero materno ficamos nove meses submersos em líquido e do líquido somos gerados. Nosso planeta é em sua maioria formado por água, assim como nosso corpo também o é.

A palavra é um dom para aqueles que estão em completo equilíbrio, e o oráculo é também a palavra, mas palavra interpretada de uma linguagem de símbolos.

Ainda sobre a palavra, Roberto Calasso referindo-se aos *Vedas*:

> "(...) Sarasvatí é a Palavra e a Palavra é o caminho dos deuses. Seguindo o curso do rio, seguiriam o curso da palavra, até onde ela vibra". (CALASSO, 1999, p. 203)

A palavra sagrada é o mantra indiano, é a oração cristã, são as autoafirmações na auto-hipnose para que possamos equilibrar nossas emoções e saber controlá-las. A palavra tem uma carga simbólica que age por meio do nosso consciente atingindo o inconsciente, provocando uma alteração boa ou má no indivíduo. Todo(a) cartomante deve buscar esse equilíbrio e usar as palavras com sabedoria e neutralidade para transmitir as mensagens do Universo e interpretá-las de forma correta.

Conforme os *Vedas*:

> "O único caminho para atingir o mundo luminoso é a Palavra".
>
> (CALASSO, 1999, p. 203)

O mundo luminoso é a verdadeira liberdade por meio do autocontrole de nossas emoções. Cultivando somente a paz, o pensamento positivo e a ética com nós mesmos e com os outros. A palavra é o instrumento para atingir a perfeição, pois quando é pronunciada libera energias, sua onda sonora percorre todo o planeta e retorna para nós. Emitimos energias boas e más com sua pronúncia e com nosso desejo-emoção-pensamento, e tudo isto fica em nosso entorno, nas pessoas, mas principalmente naqueles que a pronunciaram pela fala ou pelo pensamento. Ela ativa todos os nossos átomos e células.

Por tudo isso, devemos ter consciência no uso de nossas palavras e de nossos pensamentos. A cartomante verdadeira é a antiga pitonisa, a sacerdotisa do Templo de Delphos dedicado ao deus grego Apolo, deus da Luz. Ela precisa percorrer o caminho do rio, Sarasvatí, que muitas vezes é árduo, para tornar-se sábia. Percorrer o caminho da Luz, enquanto razão, conhecimento e ética.

O consulente é aquele ou aquela que irá buscar um caminho ou uma solução para seus problemas por meio da interpretação do oráculo pelo(a) cartomante. Essa pessoa, em geral, vai buscar a cartomante sempre em estado de conflitos ou angústias fortes, por isso, antes de iniciarmos a consulta, devemos realizar uma prece ou oração vinda de nosso coração, invocando os anjos protetores da pessoa e o nosso. É sempre muito bom utilizar um perfume nos pulsos do consulente e oferecer uma água ou um chá calmante, como chá de camomila ou melissa adoçado com mel ou açúcar mascavo. O perfume ou óleo perfumado pode ser de rosas, ou sândalo, ou alecrim, que é muito usado para a limpeza de energias. E o mais importante de tudo: a cartomante deve estar concentrada naquilo que faz, esquecendo seus problemas pessoais, inclusive traumas passados que, muitas vezes, poderão vir à tona diante de determinada história de um consulente. A neutralidade e o equilíbrio são essenciais para termos uma profunda e correta interpretação das cartas. "As cartas não mentem jamais", assim diz o ditado popular, e concordamos com esse conhecimento popular; porém, o que pode realmente interferir nessa verdade são as práticas erradas do(a) cartomante, sua má interpretação e seu preparo deficiente, e isso ocorre quando este(a) não se encontra em equilíbrio.

Retornando à importância da palavra, a oração ou prece com fé ativa os átomos do Universo, protegendo o consulente e acalmando-o, e também fortalecendo o seu "Eu Superior" para que envie a mensagem por meio das cartas à cartomante. Por isso, a palavra sagrada ainda fortalece o ambiente para a interpretação. Os aromas possuem funções terapêuticas de relaxamento e limpeza da aura do consulente, assim como os chás calmantes. As ervas, as flores e as árvores são purificadores do mundo, pois contêm grande quantidade de energia solar, da luz vital que sustenta nosso mundo; são utilizadas na cura física, emocional e espiritual. É importante que o(a) cartomante tenha um conhecimento mínimo sobre ervas, aromaterapia, raízes, florais e árvores.

A consulta de cartomancia deve ser sempre uma sessão terapêutica e assim o é.

O Universo interliga todos os seres por um mecanismo ainda desconhecido, mas para Jung todos estamos conectados a um grande inconsciente coletivo, o qual emite mensagens simbólicas, e para interpretá-las devemos fazer analogias dos símbolos com outros símbolos, ampliando, assim, os seus significados.

Fig. x2: Relação Informacional: Universo»Oráculo»Eu Superior do Consulente»Eu Superior da(o) Cartomante.

A Importância da Sensibilidade e da Intuição

A sensibilidade é tornar-se sensível a todas as energias do Universo com o desenvolvimento do processo da intuição. Para tanto, o fator mais importante é a crença de que existe uma inteligência perfeita superior que age em tudo e em todos, esta força, a qual denominamos Universo, possui muitos nomes, como: Deus, Deuses, Deusa, Krishna, Aláh, Odin, Destino, entre outros.

A crença é a inabalável força mental, emocional e metafísica humana; ela realmente "move montanhas", pode curar e realizar infinitos milagres. Já o medo, a insegurança, a preocupação excessiva são a ausência de luz, a ausência de fé, a descrença na perfeição que tudo rege. A fé é o religar-se ao Universo, acionando suas energias perfeitas de ordem. Toda religião trabalha incentivando esse processo nos seres humanos, por isso, todas elas, sem distinção, são importantes, pois completam dentro dos seres algo que sentem que lhes faltam, desvendando aquilo que buscam, e que isto, talvez, sempre esteve dentro deles mesmos.

A prática de mentalizações, orações e/ou mantras, yoga, alimentação saudável e natural, evitar comer carne, o excesso de bebidas alcoólicas o uso de qualquer tipo de drogas, rituais, praticar dança cigana ou outras danças sagradas que incentivem o desenvolvimento do feminino e conectem o ser às energias da perfeição; proximidade e desenvolvimento do amor e do respeito à Natureza (atividades de conexão, contemplação, separação do lixo e reciclagem) são práticas essenciais ao desenvolvimento da sensibilidade e da intuição, assim como a evolução da percepção das mínimas pistas do mundo também são importantes.

Ser cartomante não implica somente ter o conhecimento da linguagem das cartas e de seus métodos, em conhecer inúmeras magias, mas também em desenvolver a intuição e a sensibilidade. Tornar-se cartomante envolve um estilo de vida, mudanças de hábitos e de pensamentos.

Um preceito básico para a intuição, além da fé e de várias práticas ritualísticas e de modo de vida, é ter sempre o coração limpo e puro, como já abordamos em "Conceitos Preliminares". Para isso, é necessário um modo de vida e de sentir que tenha intimidade com a ética, com o respeito e preocupação com o "outro". Esse "outro" pode ser além de ser humano, mas um animalzinho, uma planta ou um pedaço de pedra, ou um trecho de praia, "todos" são nada mais nada menos do que partes do Universo de perfeição, ou partes de "Deus" porque carregam uma centelha divina em seus corações, em suas essências. Quando estamos conectados com isto e confiantes, estaremos preparados para ouvir e sentir cada vez mais a nossa intuição.

Existem pessoas que já nascem com a sensibilidade mais aflorada que outras e devem manter esta essência, mas todas podem desenvolver e evoluir cada vez mais a sua sensibilidade a partir do que foi escrito anteriormente.

Há inúmeros exercícios e magias para a abertura da intuição, mas não funcionam se o indivíduo não souber praticar a crença ou fé, se ele também não aprender a controlar seus impulsos mentais negativos, suas atitudes antiéticas e se não mudar seu estilo de vida e de pensamento.

Carl Gustav Jung estudou o tarô para compreender o mundo arquetípico por meio da linguagem simbólica das cartas e também para compreender uma certa lógica que existe por trás de uma força inteligente, a qual cria condições para revelar fatos que se repetem.

O mundo dos arquétipos seria uma dimensão inconsciente, mas de um grande inconsciente global, o qual envolveria todos os seres humanos em modelos psicológicos, como se esses modelos fossem memórias coletivas de mitos e de símbolos. Para Jung, nossos inconscientes estão todos conectados.

Existem certas coincidências que acontecem na vida de todos, como ligar para uma pessoa na mesma hora que esta também o procura; ou quando sonhamos com alguém desconhecido e no mesmo dia somos apresentados àquela pessoa, etc. Enfim, para aqueles que são atentos a esses tipos de fatos citados, essas "coincidências" foram estudadas por Jung, que as denominou de "sincronicidade".

A sincronicidade indica que, para existirem essas "coincidências", é necessário que haja no mínimo uma ordem inteligente em meio ao que parece não haver ordem e, conforme Jung, essa ordem seria a fonte de todos os fenômenos psíquicos. Ela é a base da intuição e da linguagem simbólica das cartas e de todas as previsões. A sincronicidade é uma espécie de força que move os oráculos, colocando em ordem inteligente e simbólica algo aparentemente sem causa e sem efeito e que estaria apenas em uma dimensão aleatória.

Segundo MacGregor & MacGregor, a sincronicidade "é a união de acontecimentos internos e externos de uma maneira que não pode ser explicada pela causa e pelo efeito, mas que é significativa para o observador". (MacGregor &MacGregor, 2011, p.17)

Para desenvolvermos a sensibilidade intuitiva, devemos estar atentos às pistas que o Universo nos apresenta. Sherlock Holmes, personagem famoso do escritor Arthur Conan Doyle, era um mestre na leitura de pistas, de ícones e de símbolos; e Freud foi um ávido leitor de suas obras. Não precisamos ter a pretensão de sermos como eles, mas é muito importante para o oraculista estar atento às coisas que vão além das impressões sensíveis, ou seja, percebermos as coisas que estão além do que os nossos próprios olhos veem, aprender a ler e enxergar nas entrelinhas. Compreender a metáfora por trás da metáfora, como já afirmou um dia o filósofo francês Gaston Bachelard.

Uma Breve História Introdutória da Cartomancia e dos Ciganos

A arte interpretativa das cartas sempre fez parte da tradição de alguns grupos ciganos e de sua cultura através das eras. Existem muitas lendas a respeito disso. Uma delas trata de uma terra no Egito que foi doada por um príncipe egípcio a um rei cigano, e que juntamente com essa terra foi dado o conhecimento do tarô enquanto linguagem sagrada e objeto de poder adivinhatório e de magia. Talvez por isso, alguns acreditem que a origem dos ciganos seja egípcia, conhecidos também como os egipcianos, e também que a origem do tarô seja egípcia. Muitos ciganos acreditam que são descendentes dos egípcios e alguns até mesmo dos primeiros palestinos.

Como a história cigana permaneceu sempre entre seus diversos grupos e por via oralizada, isto é, cantada ou contada por meio das gerações, as lendas ainda estão muito próximas de sua história. Entre o pouco que se tem certeza da história cigana, esse conhecimento foi embasado pela pesquisa linguística da origem do romanê, que é o tronco linguístico principal dos ciganos.

Segundo estas pesquisas linguísticas, iniciadas durante o século XVIII, o romanê tem sua origem no antigo sânscrito, língua sagrada indiana. Com base nisso, imagina-se que os ciganos sejam descendentes dos indianos.

São conhecidos também como filhos do Sol e da Lua, irmãos do vento, povo do vento, povo do fogo. Caminharam por todo o Sind por volta do ano 800 d.C., em fuga da Índia em virtude da expansão dos árabes na região, ou, não se tem certeza, pelo domínio dos árias que passaram a persegui-los como párias (ciganos). Atravessaram toda a Ásia chegando na Europa somente entre 1300 a 1400 d.C.

Na Europa despertavam fascínio quando sua caravana chegava, os homens tocavam seus violinos, vibrando as cordas com as notas quentes e ardentes como o fogo, as mulheres dançavam sedutoramente e liam as mãos e as cartas dos não ciganos (*gadje*). Muitos eram contratados pelos nobres medievais como músicos e dançarinos particulares, ainda estes mesmos nobres permitiam que os ciganos fizessem seus acampamentos dentro dos feudos, ou terras. Durante a Alta Idade Média, na Europa Oriental, muitos ciganos foram valorizados pelos seus dons artísticos, por sua sabedoria para trabalhar com os metais, para domar cavalos, além de serem importantes meios de comunicação, como os "correios" da época e o transporte de mercadorias. Mas o brilho de sua alegria e liberdade, assim como sua riqueza,[5] ofuscou os olhos da Igreja Católica, por isso, foram perseguidos durante toda a Santa Inquisição, acusados de bruxaria e vida não cristã, de praticantes da vida pagã. Pela visão da antiga Igreja Católica, os ciganos não passavam de "filhos do demônio", "ladrões", "mentirosos", "espiões" e até mesmo "canibais". Muitos foram queimados, torturados, estuprados e escravizados. Clãs inteiros foram dizimados, inclusive crianças e velhos. Infelizmente, todos esses preconceitos duraram muitos séculos.

No Brasil, os ciganos chegam durante o século XVI, todos expulsos pelo governo português que não aceitava seus modos de pensar e por acreditar que eram bruxos. Como registro, tem-se a vinda de João Torres, um dos muitos ciganos degredados, em 1574. Assim como os judeus foram expulsos de Portugal, os ciganos foram proibidos de usar suas vestimentas coloridas, de realizar suas peregrinações e inclusive de falar sua própria língua, o romanê. Muitos deles foram obrigados a vir para o Brasil separados de suas famílias e de seus filhos, os quais eram entregues aos *gadje* (não ciganos) para serem educados de forma não perniciosa, de acordo com a visão portuguesa da época. Hoje, em Portugal, os ciganos vivem vestidos de negro e às margens da sociedade, como se

---

5. Os ciganos usavam perfumes, incensos e essências vindos do Oriente em abundância no corpo, nos rituais e nas suas festas. As mulheres e os homens vestiam-se com roupas feitas em tecidos coloridos e macios. Por serem nômades, carregavam seu ouro no corpo, pregando moedas nas roupas, nos xales. As mulheres faziam joias com suas moedas douradas e prateadas. A culinária cigana sempre foi aromática, os *zíngaros* usavam temperos que não eram comuns aos europeus. Na Europa, somente tinham acesso a esses luxos a nobreza e a burguesia nascente.

Na Bulgária o ódio aos ciganos foi ainda maior. Durante os finais de 1970 e 1980, eles foram proibidos de usar seu idioma, de vestirem-se como ciganos, de realizarem suas festas e seus rituais, tiveram ainda de mudar seus nomes do romanê para nomes búlgaros e ainda sofreram muitos preconceitos, sendo obrigados a negar suas origens, transformando-se em búlgaros, ou vivendo às margens da sociedade búlgara. Em listas de espera para empregos, eram deixados sempre atrás dos *gadje* (não ciganos). Ser cigano na Bulgária é sinônimo de "imundície".

Em 2010, a França expulsou os ciganos de seu território e proibiu as mulheres islâmicas de usarem seus véus, isto foi mais um ato da intolerância e do desrespeito com a cultura cigana e oriental.

No século XVI, quando os primeiros ciganos chegaram em nosso país, instalaram-se inicialmente na cidade de Recife, depois no Rio de Janeiro e em Salvador, que era a capital do país na época. Por volta de 1808, muitos *zíngaros* (ciganos) vieram com a corte de D. João VI fugindo das invasões napoleônicas, eram os músicos e festeiros da corte, bem como os "meirinhos", os oficiais de justiça naquela época. Atualmente, estão espalhados por todo o país, principalmente nas cidades de Campinas, Catumbi, Teresópolis e Itaparica. Em Campinas/SP há cerca de 400 famílias que habitam o bairro Jardim Olinda, e no bairro do Taquaral, com suas mansões e belas *tsaras* (tendas) armadas ao lado das imensas casas.

Em Santos/SP há uma gruta dedicada a Santa Sara Kali, padroeira de alguns grupos ciganos.

Acredita-se que há hoje cerca de 12 milhões de ciganos no mundo. No Brasil há cerca de 1,2 milhão divididos em todo o território nacional, conforme dados de Nicolas Ramanush, professor antropólogo da Pontifícia Universidade Católica (PUC), cigano sinte manush e criador da ONG Embaixada Cigana do Brasil – Phralipen Romani. Nosso país é muito tolerante e respeita as etnias diversas e imigrantes que aqui habitam. Existem políticas que protegem os direitos étnicos feitas durante o governo do presidente Lula.

Para Nicolas Ramanush,o baralho é cigano, pois teve sua origem na Índia e representava as dez encarnações de Vishnu. Cada encarnação era representada por um naipe. Os naipes atuais foram incorparados na França durante a Idade Média. A palavra naipe vem do árabe, *naib*, que significa "feitiço". Muitos árabes utilizavam o baralho para realizar feitiços e magias, como derrotar um inimigo na guerra ou disputa. Nicolas aprendeu sozinho e intuitivamente a ler as cartas do baralho comum, que também é tradição de sua família cigana, de origem sinte manush. Para ele, assim como para minha mãe e bisavó, são retirados os naipes do 8, 9 e 10, lendo as cartas somente até o número 7.

    Durante toda a longa estrada da história preconceituosa que foi percorrida pelos ciganos, o tarô e outros oráculos estiveram sempre junto a esse povo místico e perseguido. No fim da Idade Média e com o ressurgimento das ideias humanistas, antropocêntricas e racionais, surgem também questionamentos em relação aos dogmas religiosos católicos, que eram duramente impostos para a sociedade feudal, e o desenvolvimento da imprensa, que popularizou os arcanos menores do tarô, o nosso baralho comum, que já havia sofrido modificações durante a Idade Média, sendo ocidentalizado por figuras famosas gregas e de personalidades da própria Idade Média, como veremos na exposição mais adiante dos significados das cartas do baralho neste livro. O desenvolvimento da imprensa permitiu o uso do baralho em jogos e em adivinhações pela população, deixando assim de ser um artigo de nobres e burgueses.

    Apesar da grande perseguição às bruxas durante o período da Santa Inquisição na Europa, a adivinhação e o uso da magia pelos baralhos permaneceram e não se perderam. Na metade do século XIX, com o crescimento do pensamento racional científico, tomam força novamente as seitas ocultistas, assim como os oráculos, e as cartas popularizam-se cada vez mais como forma de previsões. Permanecem assim durante todo o século XX, período em que os tarôs, por serem artigos de luxo, portanto muito caros, dão lugar ao baralho comum para aqueles que não sabiam confeccionar e desenhar seus próprios tarôs, pois, tradicionalmente, os ciganos desenhavam seus baralhos de acordo com suas crenças. Durante esse século inteiro, as cartomantes surgem interpretando as cartas do baralho. Atualmente, vemos inúmeros tarôs temáticos que são vendidos em livrarias famosas do Brasil, tarôs com inúmeros temas, belíssimos, confeccionados em papéis de qualidade excelente, e a maioria desses oráculos são importados. Mas, em meio a essa realidade contemporânea, o uso das cartas do baralho como oráculo ainda permanece, principalmente entre os ciganos e entre cartomantes de tradição familiar.

A Cultura Cigana

De forma muito geral, pois existem muitos grupos ciganos, lembrando que, por esse fato, isso possibilita inúmeras crenças e tradições diversificadas, apresentamos aqui um breve e geral traçado das características fundamentais da cultura cigana, pois é muito importante a (ao) cartomante saber sobre o povo que tem como tradição antiga a interpretação dos oráculos. E, conhecendo a história e a cultura ciganas, também é uma forma de aprofundarmos na arte interpretativa das cartas como de qualquer oráculo, sendo que esse povo misterioso carrega em seu destino interpretar as mensagens enviadas pelo Universo ao nosso mundo.

Elaboramos aqui alguns tópicos centrais e gerais sobre a cultura cigana.

Família:
- Respeito às tradições;
- O homem é o líder, porém a decisão final é dada sempre pela *badjá* ou *phuri daj* (avó, mãe velha, ou mulher mais velha de cada clã);
- Respeito à sabedoria dos mais velhos;
- Sobrevivência por tradição de comércio e previsões da sorte em alguns grupos ciganos;
- Mulher: a beleza é enaltecida pelos adornos, mas não está ligada ao formato do corpo. Não há obrigatoriedade de a mulher ser magra.

Amor:
- Casamentos predeterminados entre as famílias, entre alguns grupos;
- Valorização da fidelidade;
- Valorização da virgindade;

Cultura:
- Transmissão de sua história oral por danças e cantos;
- Língua romani ou romanês, com diferentes dialetos pertecentes a cada grupo cigano, como: vlax romani dialeto kalderash, sinte ou manush, calé ou calon, etc.
- Cultura ágrafa, sem escrita, somente língua falada, porém, há todo um esforço para registrar o romanê por linguistas estrangeiros e brasileiros, como Nicolas Ramanush, também presidente da Embaixada Cigana do Brasil e escritor da gramática sintética do romani-sinte.[6]
- Nomadismo, peregrinações, crenças e viagens, originárias das perseguições históricas sofridas (pelos árias e árabes, pelo Tribunal da Santa Inquisição, por governos autoritários e absolutistas, e por Adolf Hitler, durante a Segunda Guerra Mundial);
- Dança: (tipos: xale, leque, véu, punhal, incenso, rosa, pandeiro, castanholas, entre outras). Celebram a alegria, contam seu sofrimento e sua história.
- Música: "Manitas del Plata", "Paul Giuglea", "Gipsy Kings"; no Brasil: Mio Vacite, Alexandre Flores, Vitza Ramanush, interpretando músicas tradicionais ciganas; temos ainda no estrangeiro: "Rada", "Georges Bizet", "Manuel de Falla", "Papusza", "Kaly Jag", entre outros.

Fé:
- Tradicionalmente, acreditam mais na magia e nos oráculos do que em religiões, porém, existem ciganos que seguem inúmeras e diversificadas religiões, desde o catolicismo ao camdomblé, islamismo umbanda, presbiterianismo, evangelismo, entre outras;
- Crença em alguns santos, como Santa Sara Kali, as três Marias (Maria Madalena, Maria Salomé e Maria Jacobé), Santana (Cigana Velha), Virgem de Triana (ou La Gitana), Nossa Senhora do Rossio, Jesus Cristo (*Kristesko*) e São Sebastião, crença portuguesa assimilada pelo povo cigano; Ceferino Giménez Malla, São Ceferino, o protetor dos ciganos; Nossa Senhora Aparecida,

---

6. Livro: *Palavras Ciganas – Vocabulário e Gramática do Romani-Sinte*, tratado linguístico e antropológico de Nicolas Ramanush, encontrado no *site*: <www.embaixadacigana.com.br/palavras_ciganas.htm>. Para saber mais sobre os clãs ciganos e sua formação, assim como características, direitos brasileiros e cultura cigana, visite esse *site*.

crença assimilada no Brasil; Ederlezi ou São Jorge, crença entre os kalderash e matchuaia;
- Crença nos *kakus* (feiticeiros) e nas *shuvanis* e *shuvanos* (sábios ou bruxos, ou xamãs que conduziam os acampamentos por intermédio de seus conhecimentos);
- Crença em marcas no corpo de dons de magia e adivinhação, como ferraduras e estrelas, observadas, muitas vezes, nas palmas das mãos pela prática de quiromancia (leitura das linhas das mãos);
- Poder de magia: no olhar e no uso da voz;[7]
- Festas de primavera com rituais de fertilidade;
- Poder da Lua e de suas fases;
- Peregrinação a Saint Marie de La Mer, no Sul da França, para celebrar o dia de Santa Sara Kali, que é comemorado durante os dias 23, 24, 25 e 26 de maio. Muitos ciganos acreditam que Santa Sara era filha de Jesus Cristo com Maria Madalena e que foi abandonada ao mar junto com a mãe e com Maria Salomé e Maria Jacobé e outros cristãos. Foi encontrada por um navio cigano no mar próximo ao sul da França e realizou muitos milagres tornando-se a padroeira do povo. Entre os milagres realizados pela santa, há o milagre do parto e dos pães; por esse motivo encontramos muitos lenços (*diklô* em romani) coloridos na gruta dedicada a ela, em Saint Marie de La Mer, como forma de agradecimento das ciganas por sua proteção durante a gravidez, no parto, e pela dádiva da maternidade, algo primordial à mulher verdadeiramente cigana, pois não há nada pior do que não poder gerar um filho para elas. Mas existem outras versões da origem de Santa Sara, como a de que era uma escrava egípcia ou da Líbia que encontrou com as Três Marias e foi cristianizada e abandonada com elas na barca; outra de que era uma rainha (*kralissa*) egípcia que salvou os cristãos de um naufrágio caminhando sobre as águas do mar. Há, ainda, a versão de que Sara era uma cigana e que tenha sido uma sacerdotisa educada no templo da deusa egípcia Ísis, e que por isso sabia realizar muitos partos, conhecia ervas e tenha atingido um grau elevado de sabedoria e iluminação, tornando-se uma iniciada nas forças ocultas. Já para a Igreja Católica, Santa Sara teria sido convertida ao Cristianismo por meio da convivência com os apóstolos.

---

7. Alguns ciganos domavam cavalos pelo encanto da voz e do olhar.

- Acreditam na sorte baxt e no destino;
- Crença no batismo, pois livra a criança dos demônios;
- Funeral = festa (*pomana* ou *pamana*), o dia da morte é comemorado todo ano com festas;
- Casamento feito diante dos santos da família e as festas duram, em alguns grupos, cerca de cinco dias (*abjov*).

Percebemos que a cultura cigana é toda marcada pela crença na magia e no sagrado pertencente à Natureza. Existem ciganos que acreditam que sua sina é ler a sina dos não ciganos, porém, outros ciganos não possuem o dom da adivinhação, mas outros dons, como o de realizar magias, costurar bem, domar cavalos, fazer comércio, entre outros. Seria uma grande ingenuidade acreditarmos que todos tenham esse dom. "Àqueles que praticam a adivinhação não poderão deixar de praticá-la": seria uma possível interpretação de um pensamento cigano para aqueles que possuírem esse dom. Por isso, uma vez entrando neste caminho, no uso dos oráculos, é necessário realizar reflexões e muitos estudos; e, no momento em que o(a) cartomante decidir não utilizar mais as cartas, deverá queimá-las ou enterrá-las em noite de Lua Minguante, de preferência, embaixo de uma árvore.

Infelizmente, hoje há muitos ciganos que perderam um pouco de sua origem e de seus costumes, em decorrência das perseguições preconceituosas dos *gadje* (não ciganos) por meio da história, ou por outros motivos, como a forte influência destes na sociedade; mas também, há muitos não ciganos que são ciganos de alma, ou seja, respeitam, praticam e admiram profundamente sua cultura, e ainda há outros ciganos de sangue que estão profundamente enraizados em suas crenças e valores, em suas tradições, e estes são temas para muitas reflexões e pesquisas contemporâneas.

Artefatos Básicos de um(a) Cartomante

Para iniciarmos a leitura das cartas, devemos adquirir alguns artefatos, símbolos que irão emitir as energias dos quatro elementos: terra, fogo, água e ar, entre eles:

1) Uma toalha para a leitura, feita com tecido e com a cor de sua escolha.

2) Pedras, como cristais, quartzos rosas, esmeraldas, água-marinha, quartzos verdes, citrinos, ametistas, piritas entre outras; moedas douradas antigas e atuais ou moedas prateadas. Elas representam as energias da terra.

3) Um copo com água da torneira mesmo. Representa o elemento água. Conchas, caso deseje.

4) Incensos ou *sprays* aromáticos de sua preferência representam o elemento ar.

5) Uma vela representando o elemento fogo, também da cor e do aroma de sua preferência. É muito importante, no momento que você a acenda, oferecer para Santa Sara Kali, pedindo proteção e intuição na leitura, sendo que ela é a mãe das águas para o povo cigano. A água[8] sempre está ligada à intuição.

6) Um punhal para proteção e corte de energias distoantes (negativas), o qual deve estar sempre do lado esquerdo do(a) cartomante.

De preferência, sente-se em direção ao norte e distribua os elementos sobre a mesa e a toalha para o oráculo. O consulente deverá sempre se sentar à sua frente, e o baralho ficará no centro da mesa, antes de você orar com a pessoa e depois iniciar a interpretação das cartas.

---

8. Tratamos mais sobre esse elemento no início do capítulo Significados das Cartas do Baralho Comum. Veja o naipe de copas.

Você poderá também utilizar outros símbolos, porém estes são os essenciais. Eles irão abrir o portal para o oráculo. Disponha os elementos próximos à mesa de leitura das consultas como um pequeno altar. No norte você deve colocar as pedras; no sul, a vela; no leste, a água; e no oeste, o incenso.

Tenha plantas e animais em seu local de consulta e em sua casa, pois isto propicia mais proteção energética, equilibrando o local. Uma fonte com água corrente próxima a uma imagem de Santa Sara Kali ajuda muito a harmonizar o local.

Muitos utilizam um punhal sobre a mesa, do lado esquerdo, também para cortar as energias negativas, a má sorte e os feitiços. Ele representa o elemento terra, é importante ter esse elemento.

Faça um altar dedicado a Santa Sara Kali no local de leituras. Primeiro consiga uma bela imagem da santa, que, para dar mais sorte, deve ser ganhada, como um presente. Consagre a imagem com um cálice de vinho misturado com uma colher de sobremesa de mel. Enxugue a imagem e borrife sobre ela um perfume de sua intuição, como o de rosas. Peça proteção, intuição e agradeça sempre tudo que tiver em sua vida. Alguns grupos ciganos têm costume de conversar e contar seus problemas à Sara. A imagem da santa deve estar sobre um suporte, como uma mesa, e olhando para o norte. Neste altar você poderá realizar seus rituais, orações, mantras, assim como deixar seu baralho para as leituras de cartas e seus elementos. Ofereça sempre flores no altar e deixe uma garrafa colorida com água ou vinho, que será imantada com as energias para após serem bebidos ou utilizados em rituais. Coloque suas pedras, moedas, punhal, conchas, óleos perfumados, incensos, frutas, pão, um punhado de açúcar e um punhado de sal, e o que mais desejar no altar, podendo sempre serem retirados no momento das leituras, e sempre colocados de volta após as consultas. Você pode oferecer um pão a Santa Sara, que poderá ser feito por você mesmo, assim como frutas, acender velas, colocar um pires com sal e açúcar representando a terra, a proteção e a prosperidade.

Consagrando as Cartas do Baralho

Antes de nos dedicarmos ao aprendizado das cartas e de suas consultas, é muito importante consagrá-las para ativar as energias necessárias na matéria das cartas. A consagração será feita dedicada aos quatro elementos sagrados da Natureza e a Santa Sara Kali, cigana das águas e mãe da intuição. E deve ser feita com calma e dedicação, e na Lua Cheia.

Materiais necessários para a consagração de seu baralho:

1) Um baralho simples feito de papel, com 54 cartas;

2) Algumas pedras: 1 cristal (quartzo) para proteção, 1 ametista para proteção e 1 água-marinha ou esmeralda bruta para a intuição. As pedras em geral são de sua preferência; citamos estas por serem mais adequadas. Todas simbolizam o elemento terra;

3) Um *spray* do aroma de sua preferência, podendo ser: rosas, almíscar, canela, alecrim, etc. Simbolizando neste ritual o elemento água.

4) Um cálice de água filtrada para oferecer a Santa Sara Kali e beber no momento da prece dedicada a ela, simbolizando também o elemento água;

5) Uma vela de sete dias azul-clara, representando o elemento fogo;

6) Um incenso também de sua preferência para o elemento ar;

7) Uma caixinha de madeira ou de pedra, ou um belo lenço, ou um saquinho feito de tecido da cor de sua preferência, para guardar suas cartas.

Pegue o baralho e segure entre suas mãos mentalizando as águas do mar, que é o mundo do nosso inconsciente. Imagine as ondas, ouça seu barulho, sinta a sua brisa. Nesse mar há uma luz dourada que faz brilhar suas águas, é uma Lua Cheia nascente que as ilumina. Essa luz é a grande mãe que vem ao seu encontro e toca a essência de seu "Eu Superior". Fique concentrando-se assim por alguns minutos.

Feita essa mentalização, abra um grande leque de cartas com suas mãos e segure com uma delas. Pegue seu *spray* aromático e borrife três vezes sobre elas, mas a distância, para que não borre suas cartas, dizendo as seguintes palavras: *"Pelo poder das águas sagradas, peço que consagrem estas cartas para que sejam instrumento do bem e da perfeição em nome de Deus-Pai-Mãe"*. Depois, ainda segurando as cartas da mesma forma, em leque e com uma das mãos, pegue uma pedra de cada vez e toque as cartas com elas, dizendo: *"Pelos poderes dos elementais da terra, peço proteção e intuição para estas cartas, para que sejam instrumento da verdade e do bem"*.

Acenda a vela azul-clara, que representa as águas do mar, e ofereça a Santa Sara Kali. Segure as cartas, sempre abertas em leque, fazendo a seguinte prece cigana:

"Sara, Sara, Sara, fostes escrava de José de Arimateia, no mar fostes abandonada (pedir que nada nos abandone: nem a paz, nem a saúde, nem o amor, nem o dinheiro (ouro), nem a felicidade, etc.).

Teus milagres no mar se sucederam e como santa te tornastes, à beira do mar chegastes e os ciganos te acolheram. Sara, rainha, mãe dos ciganos, que os ajudastes e a ti eles consagraram como sua protetora e mãe vinda das águas. Sara, mãe dos aflitos, a ti imploro proteção para o meu corpo, luz para os meus olhos enxergarem até no escuro (pedir vidência, audiência e intuição), luz para o meu espírito e amor para todos os meus irmãos: brancos, negros, mulatos, orientais, enfim, todos os que me cercam. Aos pés de Maria Santíssima, tu, Sara, me colocarás e a todos os que me cercam, para que possamos vencer as agruras que a Terra nos oferece.

Sara, Sara, Sara, não sentirei dores, nem tremores, espíritos perdidos não me encontrarão, e assim como conseguistes o milagre do mar, a todos que me desejarem mal, tu com as águas me fará vencer (quando a pessoa não está bem e querendo resolver algo muito importante, deve beber três goles de água).

Sara, Sara, Sara, não sentirei dores, nem tremores. Continuarei caminhando sem parar, assim como as caravanas passam, no meu interior tudo passará e a união comigo ficará, e sentirei o perfume das caravanas que passam deixando o seu rastro de alegria e felicidade. Teus ensinamentos deixarás. Amai-nos, Sara, para que eu possa ajudar a todos que me procurem, ajudado(a) pelos poderes de nossos irmãos ciganos. Serei alegre e compreensivo(a) com todos aqueles que me cercam.

Corre no céu, corre na terra, corre no mar, corre no mundo, e Sara, Sara, Sara estará sempre na minha frente. Assim como os ciganos pedem: 'Sara, fique sempre na minha frente, sempre atrás, do lado esquerdo e do lado direito'. E, assim, dizemos: somos protegidos pelos ciganos e por Sara, que me ensinará a caminhar e a perdoar".

Feito isto, pegue seu baralho aberto em leque e passe três vezes sobre a chama da vela, sem queimá-lo e sem se queimar. Repita a seguinte afirmação: *"Pelo poder das salamandras, elementais do fogo, peço transformação e transmutação ao meu ser, e que estas cartas sejam instrumento da transmutação do fogo sagrado e do olho que tudo vê".* Mentalize um fogo azul em suas mãos e ao redor do leque de cartas que você segura durante alguns minutos.

Por fim, acenda o incenso de sua preferência e passe o leque de cartas três vezes sobre a fumaça deste, dizendo: *"Pelos poderes do elemento ar, peço às fadas e aos silfos que tragam toda a sabedoria ao meu ser e que abençoem estas cartas com a verdade e a pureza do bem".*

Feito todo este ritual com calma e muita tranquilidade, você já poderá utilizar-se do oráculo, mas deve deixá-lo aberto em leque durante sete dias, próximo à vela azul oferecida a Santa Sara Kali. Até que a vela termine de queimar. Depois desses sete dias, guarde-o em uma caixa, lenço ou saquinho de sua preferência e, sempre que possível, carregue-o junto de si esporadicamente para que o baralho possa pegar as energias do movimento de suas andanças pelo mundo.

É muito importante que esse ritual seja realizado na Lua Cheia e à noite.

Santa Sara Kali ou Santa Sara Calin é a Protetora do povo cigano, ela centraliza todo o poder feminino, pois é associada ao mar, assim como a Iemanjá no candomblé. Santa Sara Kali representa o elemento água, que é um elemento essencialmente feminino, e, como vimos em alguns trechos dos *Vedas*, é a representação da palavra. Como os ciganos sempre foram vítimas de perseguições e preconceitos, ao longo da história, Santa Sara Kali ficou conhecida também como "a santa dos perseguidos" ou como "a santa dos aflitos". Os dias 23, 24 e 25 de maio foram reservados pelos ciganos para prestarem homenagens à santa, porém não precisamos esperar essas datas para pedirmos sua ajuda. Em geral, o mês de maio todo é comemorado com muitas festas pelos ciganos em homenagem a ela.

Alguns Símbolos de Poder

Toda cartomante utiliza-se de símbolos que são carregados de determinadas energias para a sua proteção ou mesmo para atrair o que deseja como sorte, amor, prosperidade, união no lar, além de utilizá-los em magia branca. Tais símbolos podem ser usados no corpo como joias ou tatuagens e também como objetos no local em que a cartomante usará para atender seus consulentes. Não se tratam de superstições, mas de elementos que carregam as energias do inconsciente coletivo cigano.

Alguns Símbolos Ciganos

Estrela de Seis Pontas: ascensão de nosso pensamento a Deus e a ligação de Deus conosco, representação da perfeição divina. Símbolo dos reis ciganos e dos grandes chefes dos clãs. Representa uma forte proteção contra inimigos espirituais e encarnados, simboliza ainda o sucesso.

Rosa Desabrochando: é a flor da vida. Ela significa que, a partir do momento em que nos descobrimos, despertamos para a vida. Representa a vida e o amor universal.

Serpente: representa a energia kundalini para alguns clãs, energia da criação (chacra sacro lombar), também de proteção contra o mal: a inveja, a traição, ataques de magia negra. Assim como um símbolo dos magos e sacerdotisas da Deusa (energia materna do Universo).

Coruja: representa a sabedoria e a proteção.

Cálice com água ou vinho: significa a criação do Universo, a essência divina.

Punhal: arma de defesa que corta energias negativas. Representa a força, a justiça e a vitória. Muitas cartomantes utilizam-no sobre a mesa de leitura das cartas para proteção. É também usado na dança cigana de alguns clãs.

Moedas: ouro, a matéria e a justiça, proteção.

Âncora: segurança, equilíbrio, serve para evitar perdas financeiras.

Chave: representa a solução dos problemas e a abertura dos portais do Universo, é também utilizada para proteger o amor.

Estrela de Cinco Pontas: representa os cinco sentidos, a evolução. É muito utilizada para proteção, assim como a estrela de seis pontas. Cada ponta da estrela refere-se aos quatro elementos do planeta: terra, fogo, água e ar; a quinta ponta é a união desses quatro elementos pela força do fogo divino e perfeito que habita em cada coração humano (poder do "Eu Superior"), que é o centro de toda a magia e intuição.

Ferradura: atração da boa sorte e da fortuna, simboliza o trabalho e corta o mal, como a doença, o azar e a morte.

Roda da Carroça: representa os ciclos e seu movimento constante e perfeito. Está presente na bandeira cigana. Indica riqueza e o movimento.

Lenços: representa a ligação e a união com a maternidade. Em alguns clãs, quando uma mulher cigana usa um lenço pequeno na cabeça significa que está noiva, quando usa um maior, significa que é casada. Símbolo ligado ao elemento ar, muito utilizado nas danças para harmonizar o ambiente com energias e limpá-lo de energias negativas.

Pandeiros: representam a alegria e a prosperidade, e os quatro elementos: terra, fogo, água e ar. São usados para atrair todas as energias perfeitas da alegria e da prosperidade e eliminar as energias negativas.

Castanholas: simbolizam a coragem e a força.

Xale: poder e sabedoria da mulher mais velha, que é a *badjá* ou *phuri-daj*.

Maçãs: simbolizam o amor, a vida, o sagrado e a perfeição. São muito utilizadas em rituais de amor. Essa fruta, cortada ao meio, revela em seu centro, região da semente, uma formação de estrela de cinco pontas. Os ciganos adoram as frutas em geral e utilizam-nas em rituais colocando-as no altar de Santa Sara Kali e também em sua culinária.

Tipos de Baralhos e Algumas Possíveis Interpretações

Em fins da Idade Média na Europa, por volta do século XV e em virtude do crescimento da mentalidade humanista e renascentista, as cartas do baralho comum tornam-se cada vez mais utilizadas em jogos, assim como forma de oráculo por ciganos e ocultistas.

Com a invenção da imprensa, as cartas vão entrando na vida das pessoas, pois estas terão fácil acesso. Surgem baralhos com temas políticos, sociais, musicais, geográficos, mitológicos, pornôs, ocultistas, com fórmulas matemáticas... enfim, símbolos que encontramos até hoje na mídia, em vestuários, bijuterias, entre outros. Com a preocupação de que a cartomante tenha conhecimento disso, aqui mostramos vários tipos de baralhos e algumas interpretações possíveis, como exemplos.

BARALHO ANGLO-AMERICANO OU INTERNACIONAL

Figura 1.0

Fonte: <www://atomo.blogspot.com/2007/07/if-you-like-to-gamble-i-tell-you-im.html>. Acesso em março de 2011.

Este tipo de baralho é o que encontramos comumente em nosso país.

BARALHO PARISIENSE

Figura 2.0

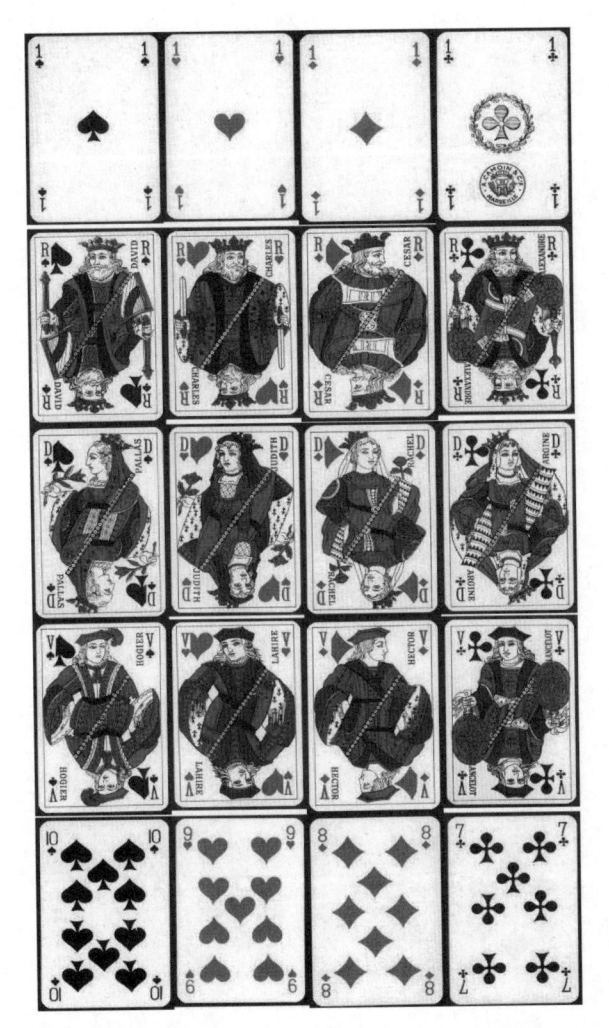

Fonte: <www.wopc.co.uk>. Acesso em março de 2011.

BARALHO BELGA

Figura 3.0

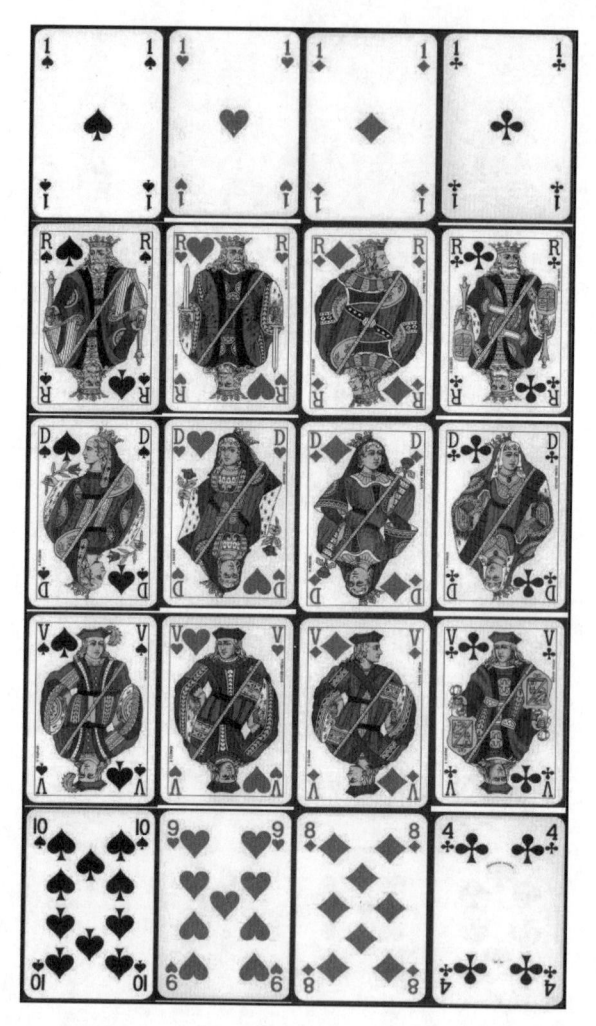

Fonte: <www.wopc.co.uk>. Acesso em março de 2011.

Nos baralhos belga e parisiense, os ases são substituídos pelo número 1.

BARALHO GENÔVES

Figura 4.0

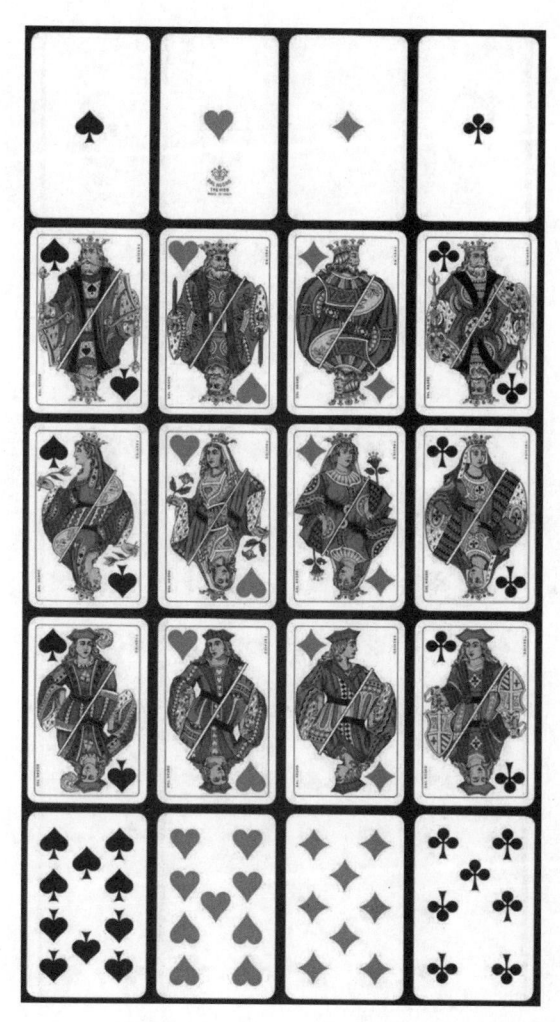

Fonte: <www.wopc.co.uk>. Acesso em março de 2011.

BARALHO PIEMONTÊS

Figura 5.0

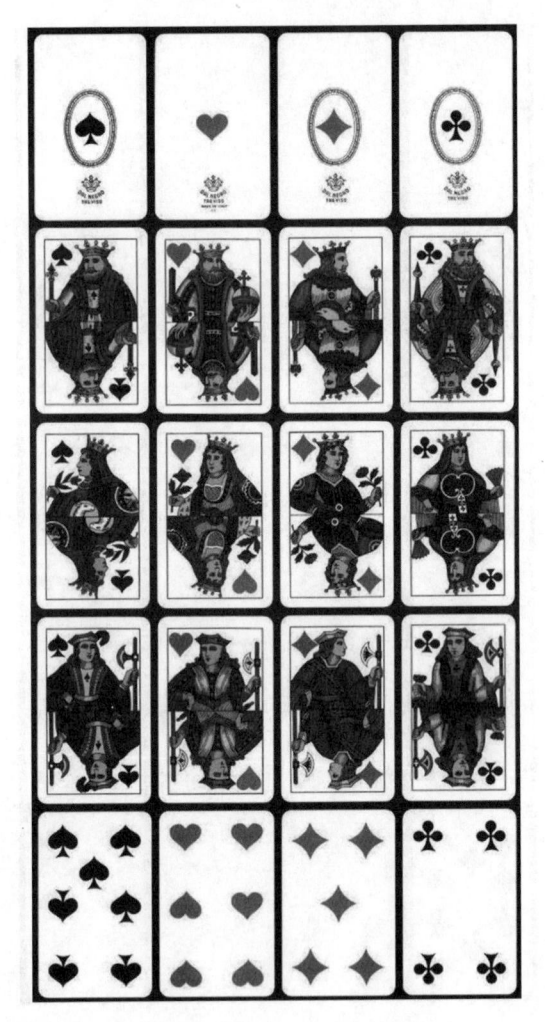

Fonte: <www.wopc.co.uk>. Acesso em março de 2011.

Nos baralhos genovês e piemontês, não há representação nas cartas de números e letras, há somente símbolos e figuras.

BARALHO DE BERLIM

Figura 6.0

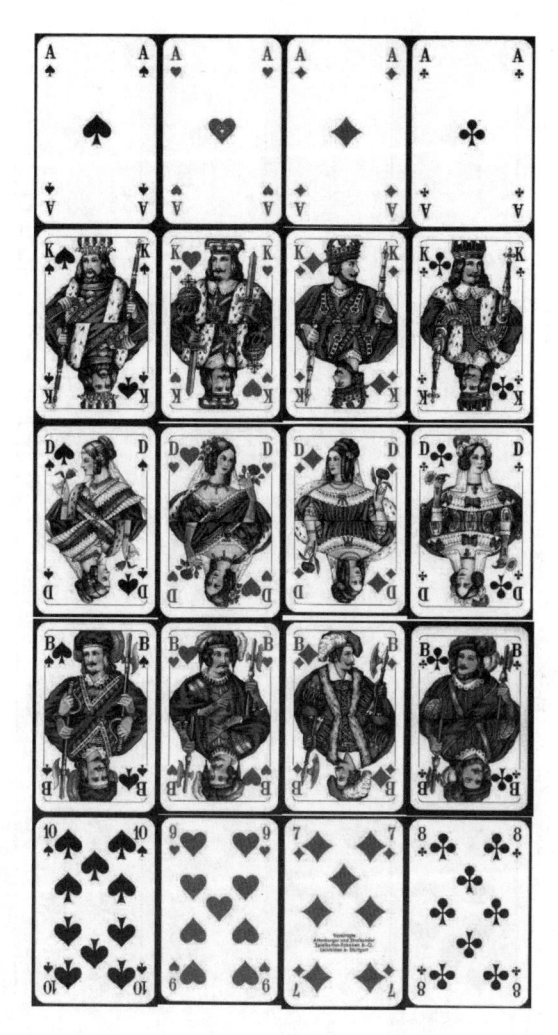

Fonte: <www.wopc.co.uk >. Acesso em março de 2011.

    Nestas cartas, notamos que nas figuras masculinas existem fortes traços renascentistas, enquanto que nas figuras femininas, suas roupas são meio renascentistas, seus penteados e alguns detalhes de roupas, como os lacinhos, lembram muito o estilo dos séculos XVI-XVII.

BARALHO DA RENÂNIA

Figura 7.0

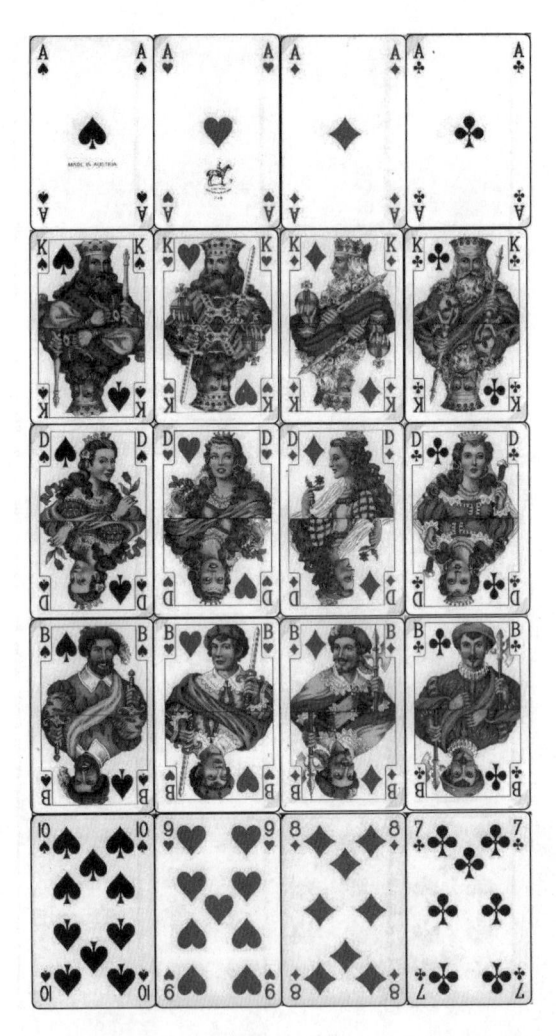

Fonte: <www.wopc.co.uk>. Acesso em março de 2011.

Nestas cartas, as figuras são notavelmente embelezadas por desenhos inspirados na Baixa Idade Média já com influência renascentista pelas cores fortes e adereços, e roupas e chapéus bufantes. As mulheres com seus longos cabelos fazem parte de um traço forte medieval, assim como a barba e os longos cabelos dos reis remetem a um modelo bárbaro de estética, também medieval.

BARALHO ESPANHOL

Figura 8.0

Fonte: <www.wopc.co.uk>. Acesso em março de 2011.

Estes cavaleiros do baralho espanhol têm forte influência renascentista no modelo das roupas com suas mangas bufantes e golas, os cabelos dos homens mais curtos do que o estilo bárbaro medieval e, em vez de longas ou fartas barbas, vemos o rosto liso, ou com bigodes finos, ou mesmo cavanhaques, como em alguns valetes da renânia. Nota-se que todos estão com armas em suas mãos, exceto o cavaleiro de espadas que toca uma flauta. Lembramos que a flauta é um instrumento de sopro, portanto, ligado ao elemento ar, assim como este naipe.

O naipe de ouros é representado por uma esfera colorida, copas pelo tradicional coração vermelho, espadas por uma folha de árvore ou planta, e paus por uma noz ou semente de árvore.

O cavaleiro de ouros ameaça com sua espada no estilo árabe, povo que dominou a Espanha até o século XIV. O cavaleiro de copas é o único com expressão facial "mais serena", os outros possuem expressão de bravura. Ele tem uma espada embainhada na cintura, mas avança com uma lança. Possui o controle das emoções no ataque da guerra representado por sua face serena. Sua lança é um símbolo fálico, portanto indica fertilização e a vitória certa na batalha. A lança na cultura nórdica pagã era o símbolo do Deus *Tyr*, deus da guerra, e tinha uma conotação fálica.

O cavaleiro de espadas que toca a flauta encanta com sua magia, é uma carta que pode representar tanto a magia branca quanto a magia negra. O elemento ar é impalpável, é o canal de propagação do som. Santa Sara Kali fez o milagre do parto assoprando o umbigo da mulher que paria. A mulher cigana sopra no ouvido do recém-nascido seu nome em segredo, para protegê-lo do mau agouro ou da má sorte. O sopro representa a vida. A música representa também a vida, o sonho e a ligação direta do ser humano com o mundo da perfeição, ou seja, com "Deus". Krishna toca a *muralí*, sua flauta sagrada no Hinduísmo, muitas religiões cantam e dançam para "Deus".

O cavaleiro de paus é o homem que desconfia e que está sempre preparado para o ataque.

O baralho espanhol não possui damas nem valetes, nele encontramos somente cavaleiros, reis, ases e números.

BARALHO MAIA PUBLICADO PELA ANTIGA URSS – UNIÃO DAS REPÚBLICAS SOCIALISTAS SOVIÉTICAS

Figura 9.0

Fonte: <www.englishrussia.com>. Acesso em março/2011

Dois reis maias. O rei de espadas é um rei feiticeiro ou curandeiro, ligado à justiça, à magia e também às ciências. O rei de copas, que tece delicadamente uma corda entre seus dedos, representa o homem emotivo, sensível e voltado para as artes.

BARALHO EM ESTILO EGÍPCIO

Figura 10.0

Fonte das figuras: <www.wopc.co.uk>. Acesso em março de 2011.

O tema egípcio das cartas envolve a origem do tarô e o misticismo da antiga civilização do Egito. Na Antiguidade e Início da Era Neolítica os seres humanos já acreditavam nas previsões oraculares. Mesopotâmios, hindus, chineses e japoneses também previam o futuro, o presente e o passado. Acredita-se que os primeiros homens das cavernas já pintavam suas caças nas paredes para dar sorte na caçada ou mesmo por previsões ou por acreditarem que o ato de pintar a caça atrairia e concretizaria o próprio ato de caçar, e, portanto, conseguir seu alimento.

BARALHOS DIVERSOS EM VERSÕES ANTIGAS

Figura 11.0

Fonte: <www.wopc.co.uk>. Acesso em março de 2011.

Representações de figuras inspiradas no modelo de estética medieval.

O rei de copas segura uma esfera e um cetro em suas mãos. O cetro é a representação do poder e da direção de suas emoções pela magia, enquanto a esfera é o mundo. Na ponta do cetro há uma mão com os dedos indicador e médio apontados para cima, representam o poder feminino e masculino do Universo, a dualidade e a unidade de "Deus". O polegar também junto aos outros dedos representa a trindade perfeita, o aspecto tríplice da "Deusa", que são as fases da vida feminina: virgem, mãe e anciã. Os dedos anelar e mínimo estão apontados para baixo, para a Terra, e representam a ligação do Universo da perfeição com o nosso planeta. São símbolos que surgem no humanismo, símbolos ocultistas que têm sua origem na antiguidade pagã celta. Sua expressão facial é séria, possui barbas e cabelos longos e brancos que indicam sabedoria.

A dama de copas segura uma cocha sobre seu centro cardíaco, o que indica o domínio do centro de suas emoções. Sua expressão revela amor e profunda sensibilidade. Seus grandes brincos, coroa e colar representam sua ligação com o Universo, sua perfeita intuição, pois ouve as mensagens que são reveladas e o poder da fala, sendo que o pingente do colar está bem sobre a garganta ou cordas vocais. A capa vermelha indica sua grande capacidade de amar.

O valete de copas é o guerreiro medieval que luta por suas conquistas; ele é o cavaleiro da Idade Média tão desejado pelas donzelas, aquele que as salvava de bruxas e dragões.

As figuras de copas sempre representam as conquistas em todos os âmbitos, principalmente nos aspectos emocionais. São cartas que indicam muita sorte. Tirar, em uma consulta, uma trinca como a da página 56, significa que a perfeição age constantemente na vida do consulente e que este conseguirá tudo o que deseja por seu próprio mérito.

Figura 11.1

Fonte: <www.wopc.co.uk>. Acesso em março de 2011.

Figuras inspiradas na Idade Média, no caso do valete de paus; e no século XVI, no caso das damas.

Um homem indeciso entre o amor de duas mulheres, uma delas é confiável e leal, porém, a dama de espadas sempre envolve algo obscuro, representa a falsidade, a mentira e a ilusão. O homem segura sua espada próxima ao peito (chacra cardíaco – centro das emoções) indicando nobreza, honra e fidelidade. Ele usa uma coroa sobre o elmo mostrando que possui sangue nobre, pois é um descendente dos guerreiros antigos e bárbaros que desceram do Norte para a Europa em suas migrações. A dama de ouros com trajes em vermelho indica aconchego, confiança, lealdade. Ela segura uma guirlanda de ervas em uma das mãos, simbolizando sua disposição para o trabalho com a terra, que é um dos elementos que representa o feminino, pois da terra tudo é gerado; por isso, a dama de ouros tem uma profunda ligação com a maternidade, representa "a mãe" ou uma mulher que será boa mãe. A dama de espadas com olhar superior mostra seu lado ligado à razão, suas vestes verdes mostram seu caráter frio e calculista, uma mulher instável como o ar e o vento, ela é imprevisível e traiçoeira.

Nestas cartas, a dama de ouros parece uma camponesa, por suas vestes, enquanto que a dama de espadas é alguém da nobreza ou da burguesia europeia.

Figura 11.2

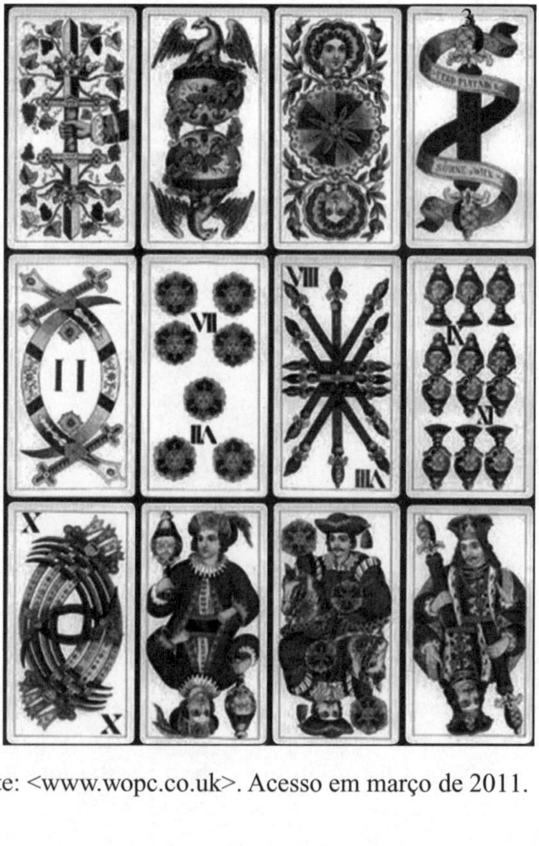

Fonte: <www.wopc.co.uk>. Acesso em março de 2011.

Na figura anterior, da esquerda para a direita, temos: ás de espadas, ás de copas, ás de ouros, ás de paus, dois de espadas, sete de ouros, oito de paus, nove de copas, dez de espadas, um valete de copas, um valete de ouro e um rei de paus.

Em uma breve análise das primeiras quatro cartas citadas, temos:

O ás de espadas está representado por uma mão que, pela espada, penetra uma coroa, ambos envoltos por folhas de frutos de uva. A espada é o símbolo fálico que penetra na coroa, que simboliza o útero. As uvas e suas folhas indicam fertilidade, e sempre foram representações dos antigos ritos e festas pagãos para atrair fertilidade à terra e às mulheres. Talvez, por isso, o ás de espadas também signifique gravidez para as mulheres, além de prosperidade e "a casa", no sentido de origem, como a casa de nossos pais, aqueles que nos geraram; mas pode também indicar literalmente "a casa", habitação, e ainda referir-se a trabalho. A mão, que segura a espada e penetra na coroa, é a ação do Universo sobre o nosso mundo, aquilo que não podemos interferir, como o destino, o poder e a vontade de Deus agindo no planeta de acordo com sua inteligência suprema e sua perfeita ordem.

O ás de copas é identificado aqui como uma esfera, símbolo do mundo e um grifo, ou ave de rapina que domina a esfera com suas garras e asas abertas. A ave pode ser interpretada como o "Eu Superior" que está ligado ao mundo, ao Universo, ambos são parte um do outro e simbolizam o "encontro perfeito", o encontro do eu com a divindade suprema. A liberdade e o prazer inesgotável e verdadeiro também fazem parte desse encontro. Em alguns baralhos o símbolo de copas é representado por cálices ou taças, estes representam o "graal", que é o cálice sagrado usado por Jesus Cristo na última ceia, que significa a abundância, o inesgotável, o "sem fim" de tudo que é belo e perfeito. Também a taça é o recipiente da água e do vinho, bebidas sagradas entre as várias culturas antigas.

O ás de ouros é representado por um sol no centro da carta com oito raios e uma face feminina dentro de uma concha. O Sol sempre foi a representação da vida nas antigas culturas, símbolo da riqueza, do brilho e do sucesso. Ele é a luz que ilumina nosso planeta. O número de raios sendo oito não é por acaso, porque esse número significa "a perfeição", "aquilo que liga o céu e a terra", "o infinito"; logo, também significa conquista, principalmente a concretização e materialização dos desejos humanos. O rosto feminino simboliza a força do aspecto feminino de "Deus", representa a "Deusa". Este aspecto sempre foi associado à luz solar nas antigas culturas e ao elemento água, que aqui é representado pela concha.

O ás de paus está representado por um cetro ou bastão envolto em uma faixa. Significa o domínio do poder espiritual e do conhecimento.

Figura 11.3

Fonte: <www.wopc.co.uk>. Acesso em março de 2011.

A dama de copas expressa um sorriso doce e conquistador; ela é a representação da beleza e do afeto. O rei de copas segura o cetro em uma de suas mãos representando o controle de suas emoções e, na outra mão, segura um documento, o qual lê atentamente demonstrando sua preocupação com o conhecimento das coisas e que, para manter o controle de suas emoções, ele estuda atentamente seu interior, busca conhecer seus "eus". Já o valete de espadas, que muitas vezes representa um adversário, é o jovem despreocupado com a verdade superior, segura uma caneca de bebida e sorri com satisfação. Ele está em busca dos prazeres temporários, mas é dono do mundo da razão.

Figura 11.4

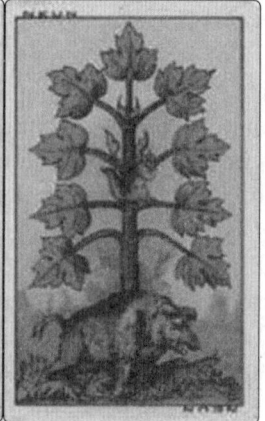

Fonte: <www.wopc.co.uk>. Acesso em março de 2011.

Sete de copas, um seis de paus e nove de espadas na trinca anterior.

A carta de sete de copas marcada por sete corações vermelhos, símbolo do amor que é mais acentuado pela presença da figura mitológica de cupido que puxa os cabelos da jovem loura. Esta carta indica uma aproximação amorosa em seu significado e é muito exaltado pela imagem com suas cores suaves. A moça distraída é alertada por cupido como se este quisesse avisá-la de que em breve seu amado virá.

Na próxima carta vemos um guerreiro diante de uma torre de um castelo da Idade Média que, com o semblante cansado, se apoia em sua arma. Representa a preocupação com a guerra, o cansaço, o desânimo para a luta e a indecisão. Também poderia ser a representação do trabalho com a terra.

A carta seguinte é um nove de espadas, uma árvore ao centro com nove galhos e nove folhas representa o número 9 e a substância que compõe a árvore, a madeira significa o naipe de espadas. Há um javali de aparência feroz, embaixo, que corre e, em cima da árvore, um esquilo, animalzinho indefeso que se protege do animal que passa rápido como se estivesse perseguindo outro animal. Ela significa "a espera" que é necessária para evitar o perigo e a tragédia. Esta carta vem nos ensinar que todo atraso é benéfico e que nada está plenamente em repouso. Significa, ainda, ódio, raiva, violência e necessidade de proteção, cautela e afastamento.

Figura 11.5

Fonte: <www.wopc.co.uk>. Acesso em março de 2011.

Representações em cartas de baralho de cenas políticas e religiosas de época, provavelmente absolutismo europeu e protestantismo.

Figura 11.6

Fonte: <www.wopc.co.uk>. Acesso em março de 2011.

Baralho com partituras e letras de óperas, 1730. Um rei de ouros, um rei de paus e um sete de ouros, todos representados pela música.

Figura 11.7

Fonte: <www.wopc.co.uk>. Acesso em março de 2011.

Estas três cartas de caráter incrivelmente nórdico e pagão representam um nove de espadas, uma rainha de espadas e um rei ou valete de espadas.

O nove de espadas possui nove folhas verdes de árvore acima de uma mulher guerreira que carrega um escudo e levanta sua arma para atacar seu adversário. Um homem morto está do seu lado esquerdo no chão indicando que ela é forte e brutal. O nove de espadas representa a violência, a raiva, a briga, a guerra e o ódio.

A rainha de espadas segura seu cetro longo de poder indicando a mulher que usa a razão. Com a outra mão ela acena. É aquela que mostra que é agradável, mas age com a outra mão de acordo com sua vontade. Sua veste vermelha adornada com ouro, assim como sua coroa e joias indicam que ela valoriza as coisas e os assuntos do mundo social e material. A folha verde abaixo, do lado esquerdo, representa o naipe de espadas.

O valete ou rei de espadas é o guerreiro bárbaro pagão à espera do momento de ataque, e está pensativo. Sua espada está fincada na terra, e apoiado em um tronco ele parece escrever com um longo graveto na terra. O naipe de espadas representa o ar e tudo aquilo que está ligado ao pensamento. Seu elmo com asas também representa o elemento ar.

Figura 11.8

Fonte: <www.wopc.co.uk>. Acesso em março de 2011.

Aqui um exemplar de cartas francês para ler a sorte, ou cartas específicas para cartomancia. Repare que elas possuem a definição de seus significados escritos nas próprias cartas e imagens que indicam o mesmo, para facilitar a memorização de seus sentidos e consequentemente a interpretação.

Figuras 11.9

Fonte: <www.wopc.co.uk>. Acesso em março de 2011.

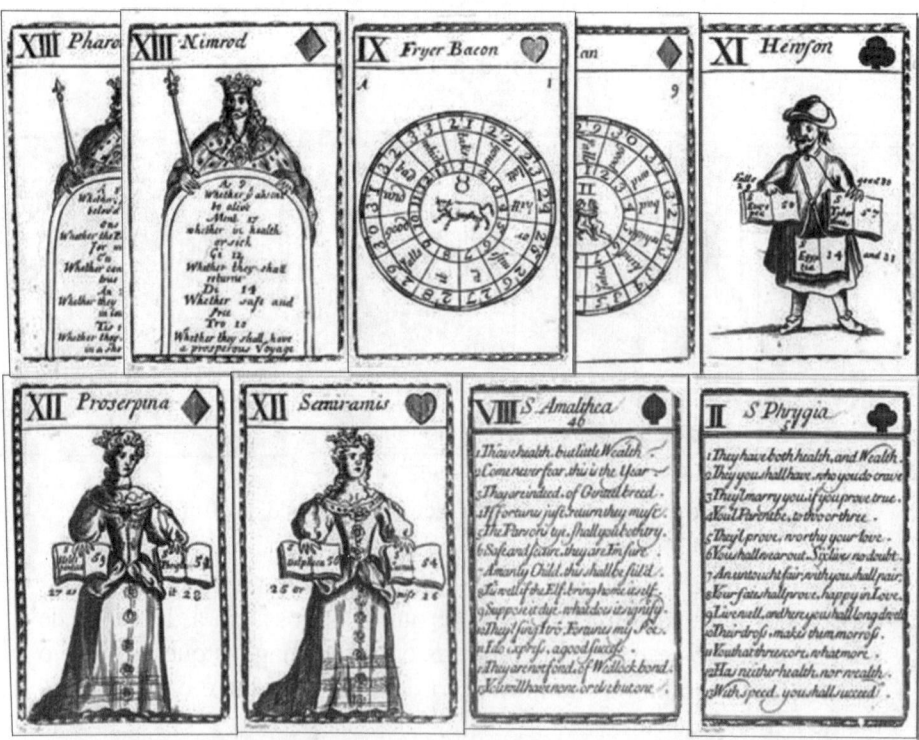

Fonte: <www.wopc.co.uk>. Acesso em março de 2011.

Cartas utilizadas para a arte da cartomancia com inscrições, símbolos, personagens míticas e mapa astrológico. Feitas em Londres, século XVII.

Figura 11.10

Fonte: <www.wopc.co.uk>. Acesso em março de 2011.

Outros exemplos de cartas utilizadas na cartomancia. Datadas de 1870, Londres.

Possuem inscrições referentes aos seus significados, e as cenas de amor também completam os seus sentidos.

A dama de paus é a mulher amiga, aquela que ouve e que compartilha. Demonstra surpresa quando recebe a declaração de amor do pretendente. Enquanto que a dama de espadas despreza e ignora o amor do homem que é deixado para trás, e um casal de braços dados parece se divertir na carta seguinte demonstrando a união, que é o significado-chave da carta de quatro de paus.

Figura 11.11

Fonte: <www.wopc.co.uk>. Acesso em março de 2011.

Baralho divinatório inglês publicado em 1910- Rameses – Tema egípcio.

Figura 11.12

Fonte: <www.wopc.co.uk>. Acesso em março de 2011.
Direitos cedidos por Simon Witley.

Baralho Adivinhatório Cigano (Romani) publicado em 1935.
Repare que são cartas de baralho e que em seu verso há a estrela cigana de seis (6) pontas . Neste exemplo, inclusive a carta do coringa faz parte dos arcanos e esta pode ser uma aproximação com a carta do bobo, o arcano maior do tarô. Este baralho é todo escrito e, dependendo da posição da carta, há um significado diferente. Um método prático para quem é iniciante na arte da cartomancia é escrever à tinta em cada carta do baralho.

O Significado das Cartas do Baralho

O significado das cartas variou muito conforme a tradição oral desse conhecimento divulgado por meio das eras de país em país, mas há significados que se mantiveram também. Abordaremos aqui alguns significados, mas alertamos que, além do conhecimento dos seus significados e métodos que serão abordados mais à frente desta obra, é de suma importância a relação de cada um com o oráculo, ou seja, a ligação e o laço que estendemos com as cartas do baralho comum por meio de nossa intuição. Deixamos a observação de que existem outros significados dos naipes por causa da não existência de um padrão destes significados e da popularização das cartas, assim como da existência da tradição oral delas.

As cartas formam um código, uma linguagem que deve ser interpretada pelo cartomante, uma linguagem imagética e simbólica, porque possuem um naipe, uma letra e uma imagem ou número, e significados. Juntas, referem-se aos quatro elementos da Natureza e seus poderes que, para a maioria dos povos antigos, sempre foram as forças criadoras e destruidoras do mundo e dos seres que o habitam.

Entre os filósofos pré-socráticos, aqueles que buscavam entender o mundo e sua origem, por isso, também denominados de pensadores da *phýsis*, Empédocles de Agrigento, que viveu na Magna Grécia durante os anos de 483-430 a.C., foi o primeiro a demonstrar que o mundo era composto por quatro raízes, os quatro elementos: terra, fogo, água e ar. Esses elementos eram os formadores e destruidores do mundo, sempre entrelaçados pela força do amor e do ódio, que possuíam a função de unir e separar as quatro forças, assim, impulsionando o movimento do mundo e a formação de seus ciclos. Empédocles foi médico, místico e acreditava na democracia. Em sua filosofia, defendia que o "ser" ou o "existente" é eterno e indivisível, que "tudo" está em constante movimento, por causa das forças de amor e de ódio. A força de amor une as raízes, que são os elementos, e constrói, restaura, renasce, mistura-as, formando um sistema único ou um "todo", enquanto as forças de ódio separam os elementos, destroem, mas para que possam permanecer os ciclos e renascerem novamente, assim como para que possam se transformar em forças únicas, criando os próprios seres.

Para Empédocles, os quatro princípios e as forças de Amor e de Ódio não são melhores nem piores que as outras, são igualmente necessárias e importantes para a formação e destruição do mundo e dos seres.

A maioria dos povos antigos acreditava nas forças dos quatro elementos e no dualismo entre Bem e Mal, Amor e Ódio, mas Empédocles de Agrigento foi o primeiro a formular e provar suas ideias.

Os significados das cartas também já foram escritos, inclusive, em forma de versos poéticos, como no baralho espanhol de Fernando de La Torre (1416-1475) dedicado à Condessa de Castañeda, no século XV. Era um baralho exclusivamente dedicado ao amor cortês; cada naipe referia-se a um tipo de mulher da época. Os naipes desse baralho eram de cores diferentes dos nossos atuais, como: espadas = vermelho, paus = preto, copas = azul e ouros = verde. O jogo de espadas era dedicado ao amor das religiosas; o naipe de copas, ao amor das mulheres casadas; o naipe de paus, ao amor das viúvas; e o naipe de ouros, ao amor das donzelas. As cores dos naipes representavam cada uma dessas mulheres.

Naipe de Copas: Elemento Água

O naipe de copas representa o elemento água. A água é o elemento vital, que confere vida a todos os seres e à Natureza. Ela simboliza o fluxo, as mudanças, sendo que podemos encontrá-la nas formas líquida, sólida e gasosa. Representa o feminino e tem ligação com a Lua, com a Mãe criadora de tudo e com a Mãe Interna de cada ser. A Lua interfere no movimento das marés e no ciclo menstrual de cada mulher, por isso o elemento água tem íntima ligação com a Lua. Ela é o lado escuro do incompreensível, dos mistérios, da intuição, da sabedoria, dos sentimentos e emoções. A água pode ser calma como a de um riacho, mas também pode ser catastrófica como um maremoto. É um elemento instável em razão das influências da própria mãe natureza; são as emoções humanas que temos como missão aprender a controlá-las e equilibrá-las.

Fonte: Copag da Amazônia

1) Ás de Copas

Palavra-chave: Encontro.

Interpretação: Representa o encontro com o "Eu Superior", com a verdadeira essência de cada ser, um reencontro com o antigo, o autoconhecimento. Representa, ainda, o encontro com pessoas amigas, com o amante, com familiares, dependendo do contexto, isto é, das outras cartas que o acompanham. Pode significar que o consulente irá conhecer alguém.

Quando um ás de copas aparecer ao lado de um ás de ouros, significa casamento, união amorosa.

O ás de copas refere-se a uma nova situação amorosa, sempre melhor. Manifesta o início de algo ainda desconhecido no âmbito das emoções.

Qualquer ás ameniza a energia das cartas negativas, trazendo a salvação e a esperança.

Fonte: Copag da Amazônia

2) Dois de Copas

Palavra-chave: Amor.

Interpretação: Amor, necessidade básica de encontrar no outro aquilo que nos falta, completude perfeita. Sentimento inesgotável que eleva a alma à felicidade. Amor incondicional, amor apaixonado, amor carnal, amor puro: o amor é a união de todos os amores em um único amor. Força de beleza e compreensão, sentimento livre de preconceitos. O amor é a maior magia, sua força é indestrutível.

Esta carta representa o amor entre amantes.

O número dois representa a dualidade, os opostos e complementares, os dois amantes unidos em um único ser e separados por suas identidades e universos diferentes.

Nas "Love Cards Jonh Lenthal", baralho de amor inglês criado por volta de 1710, a carta dois de copas é representada por dois amantes que estão dentro das águas do mar, abraçando-se, enlaçados pelo seu amor.

Fonte: Copag da Amazônia

3) Três de Copas

Palavras-chave: Amor Terno, Pureza, Inocência, Amor Puro.

Interpretação: Esta carta representa o amor puro das crianças e dos animais, livre dos desejos carnais da paixão. O amor dos anjos, o amor incondicional. O amor da mãe e do pai por seus filhos. O amor de irmãos e de amigos. O amor-amizade. Esta carta ao lado da carta dois de copas intensifica ainda mais o amor, sendo um amor transcendente.

Esta carta ainda pode significar o tempo breve, um tempo futuro muito próximo ou mesmo imediato.

Observação: Qualquer três vermelho (copas ou ouros) acompanhado de um quatro vermelho (copas ou ouros) significa amor carnal, sexo, relação sexual com alguém, e este alguém será sempre indicado por uma carta de figura, como dama de ouros, rei de copas, etc.

Fonte: Copag da Amazônia

4) Quatro de Copas

Palavra-chave: Esperança.

Interpretação: Quando a caixa de Pandora foi aberta, restou a esperança diante das dores humanas.

A esperança é a energia que nos movimenta para continuar enfrentando a vida e seus percalços. É a crença de que após o inverno frio e escuro chegará a primavera com sua luz, suas flores e sua vida. Após a morte sempre haverá a vida. A crença de que nossas vidas são compostas por ciclos e que cada ciclo tem uma duração e um aprendizado. A esperança é a estrela que brilha indicando um novo caminho, geralmente um novo tempo de alegrias e realizações.

Esta carta ainda pode indicar uma boa imagem ou boa reputação do consulente, representa o quanto o consulente é querido e amado pelas pessoas de seu convívio.

Fonte: Copag da Amazônia

5) Cinco de Copas

Palavras-chave: Ciúmes, Insegurança, Medo, Desgosto, Frustração, Decepção.

Interpretação: O ciúmes é um sentimento de insegurança, pois traz dúvidas do sentimento que outra pessoa sente por nós mesmos e acarreta a disputa, e ainda traz dúvidas sobre a nossa essência e o desejo de ser o outro. E quando desejamos ser o outro ou ter o que o outro possui, acontece a destruição de nossa verdadeira essência, sendo que esse desejo nega aquilo que já temos como dádiva do Universo. Esta carta traz, portanto, sempre uma perda em decorrência da falta de coragem e atitude para sermos nós mesmos e por nos perdermos no medo. Ela também significa o medo, o desgosto, uma frustração, decepção, que são sentimentos que surgem após mentiras e ilusões, desmacarando a falsidade de alguém. Toda decepção acarreta uma perda de ilusão, como acordar no paraíso e perceber que não era o lugar belo e prazeroso, mas sim o próprio inferno tenebroso.

Fonte: Copag da Amazônia

6) Seis de Copas

Palavras-chave: Sonho Amoroso, Idealização, Ilusão.

Interpretação: Esta carta possui energia forte e lunar; ela simboliza o sonho de amor, a idealização da pessoa amada em seus vários aspectos: físicos, personalidade, classe social, entre outros. Significa que estaremos diante de nosso príncipe ou princesa encantados, e que realmente nos encantarão, assim como a Lua encanta e envolve. Porém, esteja alerta para o que cerca esta carta, pois, dependendo das cartas que a acompanham, o sonho poderá ser desfeito e não ter passado de mera ilusão.

O seis de copas quando acompanhado de cartas de naipes de ouros que estejam ligadas diretamente ao dinheiro (ouro), como três, quatro, seis, sete, oito e dez de ouros, significará que o consulente terá bons negócios envolvendo o comércio.

Fonte: Copag da Amazônia

7) Sete de Copas

Palavras-chave: Aproximação, Reaproximação, Chegada de alguém.

Interpretação: Indica que alguém se reaproximará ou aproximará do consulente trazendo alegrias ou tristezas. Significa também que alguém retornará, geralmente alguém que se distanciou e agora terá contato com o consulente. Esta carta tem conotação forte com o mundo material, pois a aproximação ou reaproximação é física, porém, não devemos esquecer do naipe de copas, a água representa aqui os sentimentos que essa reaproximação poderá manifestar no consulente; se esses serão bons ou ruins, depende das cartas que estiverem próximas ao sete de copas.

Fonte: Copag da Amazônia

8) Oito de Copas

Palavras-chave: Proposta de Amor, Namoro, Noivado.

Interpretação: O oito representa a ligação do céu e da terra, a concretização de um sentimento por um laço de união aceito pela sociedade, um namoro, uma união amorosa. Se esta carta estiver ao lado de um dez de copas ou de dois ases vermelhos, significa casamento.

Quando desenhamos um oito, geralmente, não tiramos o lápis do papel, representa assim a integridade de um relacionamento, o laço de união. O infinito é representado por um oito deitado. É o momento em que os amantes decidem se tornarem um.

Fonte: Copag da Amazônia

9) Nove de Copas

Palavra-chave: Alegria.

Interpretação: Esta carta tem forte ligação com o Sol e sua energia de vida, sua luz. A alegria é vida e move nosso ser ao encontro do verdadeiro, da felicidade sem ilusões. Alegria traz beleza e perfeição, ajuda-nos a conquistar nossos desejos, pois é parte pura da energia de perfeição que rege o Universo. Após o amor, a alegria é a grande magia concretizadora. Esta carta ameniza todas as cartas negativas que estiverem ao seu redor, assim como qualquer ás. Ela é a água cristalina quando penetrada pelos primeiros raios de sol de uma manhã de verão.

Alegria atrai sorte.

Fonte: Copag da Amazônia

10) Dez de Copas

Palavras-chave: Vitória no Amor, Felicidade Concretizada, Casamento, Melhor Carta do Baralho.

Interpretação: Realização plena no amor. Esta carta ao lado do consulente pode indicar que ele é muito atraente e terá muitas conquistas amorosas, ou que deseja apenas conquistar sem se envolver em laços, isto é, sem se envolver de forma séria com o parceiro. Porém, esta carta ao lado de dois ases vermelhos indica casamento com muito amor. Esta carta ao lado do oito de copas significa namoro duradouro, noivado e casamento. Ao lado de um dez de ouros prediz que a pessoa tem o poder de conseguir tudo o que desejar.

Fonte: Copag da Amazônia

Valete de Copas

Palavras-chave: O Mensageiro, Protetor, Jovem de pele clara e cabelos claros, Uma Conquista em Geral Amorosa, ou ainda, um Jovem muito Sensível, O Amante ou O Namorado.

Interpretação: Representa bom agouro, uma mensagem, felicidade no amor, proteção espiritual, e ainda pode simbolizar um jovem com boas intenções. Representa o filho para consulentes casados, um filho adolescente ou adulto.

    Simboliza historicamente o cavaleiro francês La Hire, que lutou na Guerra dos Cem Anos ao lado de Joana d'Árc, possui uma arma e uma pena de escrever em sua mão. A arma é o símbolo de bravura e coragem na guerra, e a pena, o conhecimento.

    Quando esta carta aparecer ao lado da carta (figura) que marca o consulente, significa que o mesmo estará profundamente apaixonado e enamorado.

Fonte: <www.englishrussia.com>. Acesso em março/2011.

Valete de Copas em Estilo Ucraniano

No valete em estilo ucraniano note as duas pequenas taças ao lado do sorridente jovem; elas representam o graal, o recipiente sagrado usado por Jesus Cristo na última ceia. As taças são o continente perfeito para abrigar, em seu interior, o líquido da vida, a água. Elas são em número de duas em cada lado, representam a união entre casais semelhantes e opostos, entre o homem e a mulher.

O jovem carrega em suas costas um instrumento musical, como um alaúde, e um punhal na cintura. Despeja, com ar festeiro, um líquido da garrafa em sua taça, reforçando mais ainda a ligação desta carta com o elemento água, assim como com as artes, as festas e tudo que o mundo sensível pode proporcionar em um aspecto bom. Este jovem é alguém ligado ao mundo das artes, um artista. É alguém que utiliza de sua criatividade constantemente.

Fonte: <www.englishrussia.com>. Acesso em março/2011.

Valete de Copas Maia publicado na antiga URSS (Atual Rússia)

O valete de copas é o guerreiro que luta por amor às suas causas; é aquele que deseja mudar os valores impostos pela sociedade, e ainda o cavaleiro sempre disposto a salvar sua amada dama enfrentando os perigos sem medo. Um revolucionário do amor e dos sentimentos humanos. É o idealista, o sonhador, o artista político.

Fonte: Copag da Amazônia

Dama de Copas

Palavras-chave: A Fada, Mulher de Pele Clara e Cabelos Castanhos, Concretização de um Sonho, Uma Mulher Sensível, Uma Mulher Ligada às Artes.

Interpretação: Representa uma mulher jovem de pele clara e cabelos castanhos que variam do tom castanho-claro ao castanho-escuro. É uma mulher doce, gentil, amorosa, boa amiga, boa amante, porém imprevisível. Esta carta ao lado de outras figuras de copas e em sequência significa uma grande realização para o consulente, geralmente no âmbito amoroso, mas pode se referir ao âmbito material e espiritual. Pode simbolizar uma filha para consulentes casados, uma filha jovem ou adulta. Ainda significa um "dom artístico" ou "dom para determinadas coisas". Uma mulher ligada ao mundo das artes em geral. Pode ser também uma mulher mais velha e que tenha essas características descritas acima.

Historicamente, esta carta foi criada para representar Judith da Baviera, nora de Carlos Magno, que conspirou para fazer de seu filho o herdeiro do reino.

Fonte: <www.englishrussia.com>. Acesso em março/2011.

Dama de Copas em Estilo Ucraniano

Esta representação de dama de copas ucraniana, à primeira vista, já emana pureza, sentimentos elevados, como: ética, amor e doçura, que são algumas características da carta. Ela segura um filhote de carneiro em seus braços demonstrando cuidado, zelo, amizade e maternidade. Seus olhos expressam sentimentos profundos e força para lutar pelos seus ideais. A dama de copas é a mulher idealista, é a artista e aquela que possui os dons do elemento água. Ela encanta e protege aqueles que ama. As três taças que estão ao lado da figura são o simbolismo da tríade sagrada feminina, as fases da vida de toda mulher: a virgem, a mãe e a anciã. O número três é o número do destino, pois este na mitologia nórdica pagã representa as três deusas que tecem o destino dos seres humanos. Esta doce dama carrega os dons das deusas e tem sua proteção; por isso tudo, é uma carta de muita sorte e realização.

Fonte: <www.englishrussia.com>. Acesso em março/2011.

Dama de Copas Maia publicado na antiga URSS (Atual Rússia)

Com cuidado e carinho a dama de copas maia segura também um animal, um lêmure. Representando o amor incondicional. Delicadamente, penteia seus cabelos com seus longos dedos. A dama de copas é a representante da arte, do belo e do bom. Ela é a deusa do amor. Na mitologia grega, Afrodite nasce da espuma do mar, assim como a deusa do amor nórdica, Freyja. Iêmanjá em nossa cultura, tão celebrada no mês de fevereiro, é a representação da beleza, é a mulher bela que caminha pelas águas do mar. Santa Sara Kali para os ciganos foi encontrada no mar, por isso é a mãe das águas. Temos na mitologia indiana as *apsaras*, que são as belas ninfas do elemento água; sua representante principal, a primeira criada por *Brahma*, é *Urvasi*. As ninfas indianas transformavam-se em belos cisnes brancos e, assim como as outras deusas do mundo, possuíam uma beleza indescritível. A dama de copas é uma mulher verdadeiramente bela, fisicamente, assim como por sua personalidade marcante.

Fonte: Copag da Amazônia

Rei de Copas

Palavras-chave: Mago Branco, Homem Claro, Homem Bom, Sensível e Forte.

Interpretação: Representa um homem mais velho, amoroso, fiel, bom amigo, bom amante, porém inconstante. Esta carta canaliza a energia de proteção, realização no amor e soluciona problemas de relações afetivas em geral. Ela representa Carlos Magno, rei guerreiro da Idade Média europeia que combateu nas invasões bárbaras e que uniu ao poder real o poder da Santa Igreja Católica. Note sua espada em punho preparada para o ataque.

Fonte: <www.englishrussia.com>. Acesso em março/2011.

Rei de Copas em Estilo Ucraniano

Esta figura de rei de copas ucraniano está de perfil, como o rosto de um imperador romano cunhado em uma moeda antiga, indicando seu poder. Ele segura uma arma medieval e carrega uma arma de fogo também, sendo um homem de combate. Sua barba branca indica sabedoria e experiência. O cachimbo em sua boca e o olhar sorridente demonstram alegria e prazer. Uma argola de ouro em sua orelha é o símbolo de sua riqueza material inesgotável. As quatro taças significam o poder total dos quatro elementos: terra, fogo, água e ar, unidos e misturados pela água. É o rei mais preocupado com a essência das coisas e dos sentidos, e, por esta descoberta, ele emana o seu poder e força, assim como mantém as riquezas materiais de seu reino.

Fonte: <www.englishrussia.com>. Acesso em março/2011.

Rei de Copas Maia publicado na antiga URSS (Atual Rússia)

Nesta imagem, o rei de copas segura em suas mãos uma corda entre os dedos com seu olhar introspectivo. É alguém que se preocupa com a técnica da arte e com a beleza das coisas. Um contemplador por natureza e um técnico em busca da beleza.

Naipe de Paus: Elemento Fogo

O símbolo de paus representa o elemento fogo. O fogo é um elemento transformador, modificador e, portanto, de ação. Muitos da Antiguidade acreditavam que a vida era doada pelo fogo, que a alma era o fogo, talvez por associarem o calor do corpo com esse elemento, que é masculino, assim como o elemento ar também o é, e pertence ao reino de Deus. A energia kundalini ou energia da criação é associada a esse elemento e representado pela serpente.

O fogo brilhava nas fogueiras dos acampamentos ciganos e, ao redor dessas fogueiras, ciganos bailavam ao som de violinos nas noites de Lua Cheia. O fogo é o elemento de vida; representa a paixão, a energia sexual, a alegria, mas, assim como a água, possui também o seu lado negativo de destruição. No entanto, sabemos que após as destruições virão sempre as reconstruções, após a morte de algo ou de uma situação, sempre haverá o renascimento; e o aprendizado com a dor torna nossa alma mais forte. É o elemento de coragem, sedução e audácia.

O povo cigano é conhecido como o "povo do fogo" e como o "povo do vento". Isto seria porque os ciganos são alegres, cheios de vida e sedutores com seus mistérios. E povo do vento, porque são livres e nômades, assim como o vento que vem e passa, não ficam.

Fonte: Copag da Amazônia

1) Ás de Paus

Palavra-chave: Final Feliz, O Fogo Sagrado.
Interpretação: Após a noite haverá o dia e assim é. Após a dor virá a cura.

Assim como a ave fênix que morre no fogo e renasce das cinzas, esta carta anuncia o fim feliz de qualquer situação obscura e dolorosa. Quando acompanhada de cartas de boa sorte, como outros ases ou algum dez vermelho, anuncia a vitória imediata de qualquer situação embaraçosa e difícil.

Fonte: Copag da Amazônia

2) Dois de Paus

Palavra-chave: Tristeza.

Interpretação: Esta carta representa o fogo apagado, o fogo invertido, pois a tristeza é a falta de luz, e a luz é a alegria. A tristeza é a fogueira que se apagou e deixou tudo escuro. Ela é fria e dolorosa, amarga de sentir. As lágrimas que ela provoca só trazem mais dor e fazem apagar ainda mais a fogueira, isto é, o brilho da vida e da beleza da cada ser. A tristeza atrai o azar, a falta de sorte, porque nos afasta de Deus.

Fonte: Copag da Amazônia

3)Três de Paus

Palavra-chave: Dúvidas.

Interpretação: Por qual caminho devemos seguir? Será que vai dar certo se eu escolher este caminho? Não, acho que não devo segui-lo.

Esta carta provoca esses tipos de questionamentos. A dúvida é como um pêndulo que balança de um lado para outro; em cada lado há uma resposta oposta, diferente. A melhor saída para esta situação é manter em suspenso a questão, parar, analisar, meditar e pedir auxílio ao Universo para que ele traga a resposta do melhor caminho. Para isso, o consulente deve fazer sua parte e entregar ao Universo o seu pedido, aguardando e prestando atenção nas respostas que poderão surgir em pessoas, lugares e situações de seu dia a dia. É necessário cautela e empenho na resolução das dúvidas, sendo que a permanência por muito tempo no pêndulo pode atrasar os passos daqueles que desejam atingir sua evolução ou até mesmo deixar passar situações que poderiam trazer benefícios e aprendizados.

Fonte: Copag da Amazônia

4) Quatro de Paus

Palavra-chave: União em Ação.
Interpretação: O fogo transforma o relacionamento em companheirismo, fidelidade e lealdade por meio do laço estreito da união. A união só é verdadeira se ela contiver estes princípios: lealdade, sinceridade, fidelidade, companheirismo e amizade. Esta carta indica qualquer tipo de união: união de amor, de amigos, de família, de sócios em um negócio, de pessoas que trabalham juntas, entre outras. A união verdadeira é a marca que perdura por suas vidas, pelas reencarnações. Ações de união.

Fonte: Copag da Amazônia

5) Cinco de Paus

Palavra-chave: A Família.

Interpretação: O número cinco é o número do ser humano e de sua capacidade de conquistar o mundo, ainda é o número cigano. Nele estão contidos os elementos: terra, fogo, água, ar e éter. O cinco de paus é o pentagrama de fogo (ou estrela de cinco pontas). A família surge com a união de amor entre dois seres e destes surgirão outros que possuem características hereditárias dos dois. A família é a instituição social primeira para a união e proteção; é dela que parte do ser é continuada por meio das gerações. A família é uma organização cármica por excelência, pois o destino impõe-nos o nascimento entre esses seres, e a convivência com eles deverá transmutar qualquer energia negativa de sofrimento herdada de outras vidas, por meio do poder do amor familiar.

Fonte: Copag da Amazônia

6) Seis de Paus

Palavras-chave: Indecisão, Caminhos Bifurcados, Encruzilhada, Escolha.

Interpretação: Esta carta representa a difícil escolha entre dois ou mais caminhos, assim como a indecisão diante de uma situação geralmente embaraçosa e confusa. Diante desta situação, o consulente é testado mais uma vez por sua força e fé, na qual deverá fazer a sua parte, pedindo ao Universo que baixe de seus olhos o véu da ilusão de "maya" para que enxergue a realidade, e escolha o melhor caminho, a melhor solução. A indecisão pede um caminho, pede uma decisão.

Fonte: Copag da Amazônia

7) Sete de Paus

Palavras-chave: Paz ou Lágrimas.

Interpretação: Esta carta possui duas faces: de um lado temos seis paus desenhados e de outro há três paus também desenhados. O lado que indica seis paus significa lágrimas, ou seja, que o consulente ou alguém irá chorar por algum motivo, geralmente este motivo estará escrito nas cartas que estiverem acompanhando o sete de paus.

O lado que indica três paus significa paz, que o consulente alcançará a paz desejada sobre determinado assunto.

Fonte: Copag da Amazônia

8) Oito de Paus

Palavras-chave: Caminhos, Acontecimentos Rápidos.
Interpretação: Significa que a solução do problema será rápida ou que irão acontecer fatos de forma muito rápida na vida do consulente. Esta carta ainda indica que a solução é benéfica.

Fonte: Copag da Amazônia

9) Nove de Paus

Palavras-chave: Atraso, Problemas, Obstáculos.

Interpretação: Esta carta indica que o consulente passará por alguns obstáculos que irão atrasar sua vida. Ela simboliza a germinação da semente e um tempo de espera para a colheita dos frutos. Haverá um tempo necessário para a resolução do problema ou mesmo um atraso para a conquista dos objetivos. O número nove simboliza uma estagnação.

Fonte: Copag da Amazônia

10) Dez de Paus

Palavra-chave: Terras de Fora.

Interpretação: Simboliza outras terras que podem ser conhecidas ou desconhecidas pelo consulente, por exemplo, outra cidade, outro país, uma ilha, uma fazenda, um sítio, entre outros. Pode significar viagem ou mudança. Se uma figura aparece ao lado desta carta significa que essa pessoa é de terras de fora, que mora em outro lugar, outra cidade ou outro país. Se o seis de espadas aparecer ao lado desta carta significa mudança para outras terras, uma mudança para outra cidade, para a zona rural ou para outro país. Se a figura que o cartomante marcar o consulente, como uma dama de copas, e essa estiver ao lado da carta dez de paus, significa que esta pessoa fará uma viagem em breve.

Fonte: Copag da Amazônia

Valete de Paus

Palavras-chave: Jovem Moreno, Um Amigo, Amizade.

Interpretação: Representa um homem jovem em idade cronológica, dos 15 aos 29 anos; ou em idade psicológica, quando um homem de 30 anos age como um rapaz de 17, por exemplo. Esse homem é inteligente, esperto, bom amigo, bom amante e ligado ao conhecimento místico e espiritual. Mas observe sempre as cartas que estejam ao redor das figuras, pois essas características podem variar. Pode representar um amigo ou um irmão e a amizade que o consulente possui ou sente pelas pessoas.

Este valete, quando criado com as outras cartas na Europa durante a Idade Média, foi a representação do cavaleiro Lancelot da corte do rei Arthur. Lancelot foi um famoso e corajoso cavaleiro, invencível em suas batalhas e caças a dragões, foi amigo fiel de Arthur e amou por toda sua vida a rainha Guenevere. Talvez seja por isso que este valete represente estas qualidades todas: a amizade, lealdade, coragem e paixão.

Repare que na carta ele carrega em uma de suas mãos um escudo e uma lança.

Fonte: <www.englishrussia.com>. Acesso em março/2011.

Valete de Paus em Estilo Ucraniano

O valete de perfil fuma seu cachimbo mostrando que é adepto dos prazeres da vida material e carnal. Seus braços são fortes, mas um deles toca levemente o cano da arma de fogo, provando que é mais do que forte, pois sabe controlar sua força na guerra e tem sabedoria para decidir quando atacar e recuar; ele tem sabedoria estratégica e uma profunda intuição. Ele está vestido com um colete verde bordado e amarrado pela cintura por uma faixa vermelha, representando sua capacidade de amar e de ser fiel, pois o verde é a cor que representa a lealdade e a amizade, o vermelho é o amor e também a representação do elemento fogo que rege este naipe.

Fonte: <www.englishrussia.com>. Acesso em março/2011.

Valete de Paus Maia publicado na antiga URSS (Atual Rússia)

Neste valete de paus há a clara exuberância de seu poder, sendo que ele toca suas penas com uma espécie de instrumento enquanto leva sua outra mão no coração mostrando que é aquele que honra, que é fiel, amigo e verdadeiro amante. Ele luta por todos aqueles que ama e é vencedor de muitas batalhas. Suas penas podem ser os troféus de cada batalha conquistada.

Fonte: Copag da Amazônia

Dama de Paus

Palavras-chave: A Bruxa, Uma Mulher de Pele Clara e Cabelos Escuros, Serpente de Fogo, A Sacerdotisa.

Interpretação: Representa uma mulher jovem ou velha de cabelos escuros e pele clara. Esta mulher é inteligente, mística, sensual, encantadora e manipuladora. Representa a bruxa e seu conhecimento transformador. É a mulher que possui forças psíquicas e magnetismo natural, como a médium no Espiritismo, e como a sensitiva e intuitiva, sendo cartomante ou não. Ela é a representação das antigas pitonisas e sacerdotisas por excelência, a mulher oráculo. As cartas de paus representam a espiritualidade e o conhecimento metafísico.

Historicamente, esta carta representou Marie de Anjou, rainha da França que foi casada com Carlos VII, e traída pelo mesmo com Agnès Sorel. Esta foi a amante preferida do rei que também foi representada pela carta de dama de ouros. Talvez seja por isso que em um jogo de amor, quando sai uma dama de ouros em determinada posição, por exemplo, próxima do marido ou namorado, indique uma forte rival no caminho da consulente.

Fonte: <www.englishrussia.com>. Acesso em março/2011.

Dama de Paus em Estilo Ucraniano

Esta dama de paus tem um lenço verde com detalhes dourados envolvendo sua cabeça, indicando que ela possui a verdade aliada de suas atitudes e muita sorte, sendo representada pelos detalhes em ouro. É uma mulher próspera e sábia, pois o ouro é a representação da luz solar, do *logos*. Possui uma expressão facial serena e um leve sorriso, mas também mostrando muito entusiasmo, característica do elemento fogo. Usa um colar de pedras vermelhas e de moedas de ouro, lembrando muito a tradição cigana de carregar ouro no corpo e fazer joias, no caso de alguns clãs específicos, principalmente com moedas. Sua veste é branca, representando sua pureza de alma e de atitudes. A cor branca é a união de todas as outras cores, também é aquela que representa a luz, a magia e a espiritualidade.

Ela está abraçando um feixe farto de trigo e segura firmemente uma foice. O trigo sempre foi a representação da fertilidade na Antiguidade, pois era o alimento sagrado do qual produzia o pão, o alimento dos clãs, é também símbolo de prosperidade. Muitas culturas antigas realizavam rituais de fertilidade dedicados à mãe terra, para atrair boas colheitas e manter seus descendentes saudáveis, e o trigo sempre foi muito utilizado nesses rituais. Sua plena prosperidade é adquirida pelo seu trabalho. Ela é uma mulher muito forte e determinada. Uma mulher fértil de corpo, de mente e de alma.

As três sementes ou pinhas do seu lado simbolizam a tríade feminina e seu poder.

A foice representa o poder de modificar e interferir no seu destino. Este instrumento corta para colher e semear o novo após a poda do antigo. Isto indica também seu poder de decisão; assim que escolhe um caminho, quase sempre não volta atrás.

Fonte: <www.englishrussia.com>. Acesso em março/2011.

Dama de Paus Maia publicado na antiga URSS (Atual Rússia)

Esta dama de paus em estilo maia é a pura representação da sensualidade, do magnetismo e da fertilidade da dama de fogo. Seu perfil expressando um olhar puramente sedutor e elevando uma de suas mãos delicadas, como se estivesse realizando uma dança, já expressa isso. Seus lábios quase tocando essa mão que parece realizar um movimento serpentino parecem até mesmo sussurrar ou beijar. Seus cabelos são longos e repartidos em duas grandes mechas, uma mostrando seu seio farto e a outra cobrindo o outro. Seu olhar é de puro prazer e desejo. A outra mão parece quase tocar o seio à mostra. É a mulher serpente de fogo, a dama de paus.

Fonte: Copag da Amazônia

Rei de Paus

Palavra-chave: Homem mais Velho Moreno, O Bruxo, O Amigo, Homem de Atitude.

Interpretação: Representa um homem maduro e moreno. Muito inteligente, intuitivo, bom amigo, bom amante, um homem de atitude e coragem, mas em seu aspecto negativo pode ser um pouco acomodado. Homem sensitivo por natureza, ligado à magia. Pode representar um amigo fiel ou a amizade. É encantador, sedutor e magnético.

    Este rei simboliza Alexandre, O Grande, conquistador macedônio que venceu inúmeras batalhas, conquistando da Grécia a Índia e formando o Império Helênico. Foi educado e inspirado pelo filósofo Aristóteles. Por isso, a figura carrega a espada, símbolo da luta, e a esfera que simboliza suas grandes conquistas.

Fonte: <www.englishrussia.com>. Acesso em março/2011.

Rei de Paus em Estilo Ucraniano

Esta figura personifica a transcendência; os olhos do rei estão fechados e seus cabelos livres ao vento. Ele toca seu instrumento e encanta aqueles que o ouvem, e é ao mesmo tempo encantado pela magia que produz pela sua música. Ele é o canal de conexão com as energias da perfeição que o Universo emana e ele entra em sintonia com elas, inspirando-se. O bruxo, o mago que usa os poderes do fogo, ele transforma e transmuta.

Fonte da imagem: <http://static.wix.com/media/>. Acesso em março de 2011.

Um Rei de Paus

Nesta bela imagem, notamos o poder do fogo que sai do cajado do rei. Ele é um rei mago, que segura, na outra mão, uma esfera de poder e, sobre seu manto violeta, há um velocino de ouro remetendo a Ulisses, rei de Ítaca. (Ler *Odisseia*, de Homero).

Naipe de Espadas: Elemento Ar

O elemento ar é impalpável. Sentimos o vento em nosso corpo, a brisa da manhã que vem do mar, mas não podemos tocá-los. Ouvimos o uivo do vento na tempestade...

O ar representa a inteligência, a espiritualidade, a razão, e as forças mágicas positivas e negativas que compõem o Universo. É a energia que pertence à matéria, a energia que movimenta os átomos, as galáxias e o corpo humano e animal.

Muitas vezes pensamos que a energia é separada da matéria, porém, isto é um grande erro, pois energia e matéria estão unidas nos corpos materiais. E como Albert Einstein[9] já disse: "Massa e energia são equivalentes, assim como o tempo é relativo". Estes conceitos são básicos para que se entenda a matéria e a energia.

---

9. Albert Einstein foi um grande físico revolucionador, nascido na cidade de Ulm, na Alemanha, em 1879, descobriu as duas teorias da relatividade: restrita e geral. Acreditava que "a imaginação é mais importante do que o conhecimento". Para saber mais, leia, *O Universo numa Casca de Nóz*, do físico Stephen Hawking.

Fonte: Copag da Amazônia

1) Ás de Espadas

Palavras-chave: O Eu, A Casa, Proteção Espiritual, Inteligência, Gravidez, A Origem, O Ancestral.

Interpretação: Representa a casa interior de cada indivíduo ou mesmo a casa de origem, ou habitação, morada. A casa de nossos pais, ou uma gravidez, principalmente quando acompanhada por um valete de ouros, que indica "a criança", e um três e um quatro vermelhos próximos.

Fonte: Copag da Amazônia

2) Dois de Espadas

Palavra-chave: Relacionamento em Geral.
Interpretação: Representa qualquer tipo de relacionamento.

Fonte: Copag da Amazônia

3) Três de Espadas

Palavras-chave: Desprezo, Más Palavras, Separação, Baixa Autoestima.

Interpretação: Representa uma atitude de desprezo ao consulente, uma separação ou o sentimento de abandono e baixa autoestima do consulente.

Fonte: Copag da Amazônia

4) Quatro de Espadas

Palavras-chave: Portal da Espiritualidade, Carma, Ação Espiritual, Espiritualidade Pura, Fé.

Interpretação: Representa a força espiritual agindo na vida do consulente; dependendo das cartas próximas, esta força poderá intervir de forma negativa ou positiva. De forma geral, atraímos tanto a força positiva quanto a negativa, conforme agimos e pensamos em nosso dia a dia, ou seja, quando agirmos com inveja, rancor e ódio, atrairemos forças ou entes que fazem parte dessa energia negativa; porém, quando agirmos com amor e compaixão, receberemos a interferência do reino da perfeição universal em nossas vidas. O sentimento de tristeza, depressão ou preocupação excessiva também atrai energias distoantes das energias perfeitas do mundo.

Esta carta ao lado de um cinco ou sete de espadas indica um grande perigo ao consulente, como um acidente fatal.

Fonte: Copag da Amazônia

5) Cinco de Espadas

Palavras-chave: A Perda, O Corte, Doença Grave, Separação sem Retorno, Morte.

Interpretação: Este naipe indica uma grande perda na vida do consulente, o abandono de alguém ou de algum projeto. Representa também uma doença grave com risco de morte, ou um acidente grave.

Interpretamos sua ação de corte lendo da esquerda para a direita. Seu efeito é amenizado, quando a carta for a última do lado direito em um leque formado por quatro cartas. As cartas que estiverem à sua frente do lado direito serão o que a pessoa perderá.

Exemplo: um cinco de espadas sendo a primeira carta do lado esquerdo de um leque com quatro cartas, em sua frente um dois de copas, uma dama de ouros e um dois de espadas. Este leque indica que o consulente irá se separar de uma mulher que o ama, porém, como a maioria das cartas à frente do cinco de espadas são muito boas, isto indica que a separação será para melhor para os dois e que os dois ainda encontrarão um verdadeiro e duradouro amor.

Esta carta acompanhada por um quatro de espadas e um sete de espadas, ou somente o cinco de espadas com cartas negativas, indica sérios riscos, como a morte.

Fonte: Copag da Amazônia

6) Seis de Espadas

Palavras-chave: Preocupação, Mudanças.

Interpretação: Indica a preocupação do consulente no momento, assim como mudanças que virão.

Fonte: Copag da Amazônia

7) Sete de Espadas

Palavras-chave: Discórdia, Traição, Risco de Morte, Doença Mental ou Emocional, Doenças Degenerativas, Paixão Instintiva.

Interpretação: Representa discussões, desentendimentos e traição quando vier acompanhada por um rei ou uma rainha de ouros. O rei indica um rival para consulentes masculinos e a rainha uma rival para as consulentes.

Também indica doença emocional ou mental, como depressão, pânico, bipolaridade, esquizofrenia, entre outras, podendo ou não levar alguém à morte, isto depende das cartas que estiverem juntas. O cinco de espadas e o quatro de espadas, ao lado desta carta, indicam morte. Ela ainda pode significar uma doença física muito séria, uma doença degenerativa, como algum tipo de câncer ou problemas cardíacos e de pressão arterial.

Ao lado de uma figura e acompanhada por cartas boas, indica uma paixão cega e desenfreada, totalmente instintiva.

Fonte: Copag da Amazônia

8) Oito de Espadas

Palavras-chave: Conflito, Aflição, Confusão, Angústia.

Interpretação: Confusão que aflige o consulente, podendo ser emocional, ou conflito entre pessoas, podendo envolver o consulente ou não. Uma aflição ou confusão mental ou emocional do consulente.

Fonte: Copag da Amazônia

9) Nove de Espadas

Palavras-chave: Violência, Ódio, Brigas, Revolta, Intrigas, Guerra.

Interpretação: Situações de violência psicológica ou física, como discussões, falatórios, fofocas, intrigas e brigas físicas, também acompanhada de um rei de espadas ou valete de espadas, mais um ás de espadas, indica estupro ou violência sexual. Esta carta do lado de uma figura qualquer de espadas, sendo valete, dama ou rei de espadas, indica envolvimento com o crime, podendo ter interferência da justiça e da polícia.

Fonte: Copag da Amazônia

10) Dez de Espadas

Palavras-chave: Mágoas, Momentos Difíceis, Angústias, Aborrecimentos, Decepções.

Interpretação: Um sofrimento guardado no coração do consulente. A mágoa é um veneno lento que destrói todas as possibilidades boas que poderão acontecer para o consulente. Caso perceba que o consulente seja uma pessoa sofrida, magoada, peça para ele se libertar desse sentimento, pois só atrasa as perspectivas boas de uma provável nova vida, além de deixar o corpo mais vulnerável às doenças diversas.

Fonte: Copag da Amazônia

Valete de Espadas

Palavras-chave: Justiça, Um Jovem Negro ou Oriental.

Interpretação: Representa a ação da justiça na vida do consulente. Indica processos em fórum, questões judiciais. Polícia, forças armadas.

Esta carta ao lado da dama de espadas e do quatro de espadas, indica uma ligação forte do consulente com a magia e com o mundo do oculto.

Acompanhada do sete de espadas, indica bandido, traficante, assassino, indica que o consulente está ou pode se envolver com o crime ou com pessoas criminosas, etc.

Pode indicar ainda um adversário, um inimigo ou um protetor, dependendo das cartas que estiverem próximas.

Esta carta foi representação de um cavaleiro da corte de Carlos Magno, chamado Ogier, que é personagem citada em alguns poemas épicos medievais. Ele parece esconder sua espada atrás de seu corpo, o cabo da espada é perceptível. Isso representa o preparo para a ação justa, o preparo para a defesa e para a proteção.

Fonte: <www.englishrussia.com>. Acesso em março/2011.

Valete de Espadas em Estilo Ucraniano

Este valete de espadas também segura sua espada escondendo-a atrás de si. É o homem preparado para agir, para defender-se e defender seus protegidos. Além da espada, ele carrega duas armas de fogo diante de seu peito. É aquele ligado à coragem, mas também ligado à violência.

Fonte: <www.englishrussia.com>. Acesso em março/2011.

Valete de Espadas Maia publicado na antiga URSS (Atual Rússia)

O soldado maia segura sua lança mágica prestes a defender seu povo ou atacar seu inimigo. O valete de espadas é uma carta dual; dependendo das outras que a cercam, refere-se a um determinado significado, assim como o ar mistura-se facilmente a outros gases. Pode ser o guerreiro amigo ou um inimigo violento.

Fonte: Copag da Amazônia

Dama de Espadas

Palavras-chave: Ilusão, Magia, Falsidade, Dom de Magia (Psiquismo), Uma Mulher Negra ou Oriental, Premeditação, Poder de interferir no destino.

Interpretação: Representa o véu de ilusão, quando a pessoa não enxerga a realidade como é. Indica falsidade, quando estiver ao lado de uma figura de qualquer naipe de espadas. Acompanhada com um quatro de espadas, significa dom de magia. E ainda pode indicar uma mulher negra ou oriental. A dama de espadas sabe bem o que deseja e corta de sua vida qualquer situação ou pessoa que não faça bem a ela, sabe escolher suas companhias. Pode ser também uma senhora com mais de 60 anos, representa a mulher anciã, cheia de sabedoria.

Historicamente, é a representação da deusa grega Atena, a deusa guerreira e da sabedoria; talvez por isso a dama, neste tipo de baralho, esteja escrevendo em um pergaminho. E também é Joana D'arc, a guerreira francesa medieval que lutou bravamente na Guerra dos Cem Anos (1337-1453) dando vitórias ao rei Carlos VII da França contra a Inglaterra.

Fonte: <www.englishrussia.com>. Acesso em março/2011.

Dama de Espadas em Estilo Ucraniano

Nesta bela imagem, a dama de espadas é a revelação da própria bruxa. Segurando um bastão, que é sua defesa e arma de ataque, mas também revelando a possibilidade de ser um bastão mágico da bruxa ou mesmo o cabo de uma vassoura. Com a outra mão, ela segura um lírio, símbolo de sua ligação com a espiritualidade. Suas roupas em tom de marrom e branco e verde revelam sua ligação com o elemento terra, portanto, é uma mulher que age com racionalidade forte. Usa um lenço vermelho com moedas no pescoço, indicando sua posse material. Fuma um cachimbo e usa um lenço vermelho na cabeça, indicando que o elemento fogo age em sua mente e que aprecia a vida e os prazeres da terra. O gato preto é seu guardião, indica sua ligação com o reino animal.

O gato sempre foi um animal muito sagrado para os povos da Antiguidade, representando proteção aos seres humanos, livrando-os de energias malignas e de maldições. Acreditava-se também na sua proteção nos partos. Na crença do antigo Egito havia a deusa Bastet, uma deusa com corpo feminino e cabeça de gato, uma das deusas mães, cultuada principalmente para a proteção materna e das parturientes. Na mitologia Nórdica, a deusa Freija transportava-se muitas vezes em uma espécie de biga puxada por dois gatos, que eram feiticeiras seguidoras da deusa. Daí, talvez, o fato de as bruxas serem associadas aos gatos na Idade Média, principalmente durante a perseguição da Santa Inquisição. Dizem ainda que os gatos são os animais mais ligados à espiritualidade.

Fonte: <www.englishrussia.com>. Acesso em março/2011.

Dama de Espadas Maia publicado na antiga URSS (Atual Rússia)

Esta dama de espadas é a mãe protetora. A feiticeira que interfere no carma. Com sua mão esquerda, aquela que recebe as energias do Universo, evoca sua vontade, colocando-a sobre seu centro cardíaco. Com a outra mão, a direita, aquela que interferimos, ela abre o portal por meio de sua magia para interferir em seu carma, pois está em sintonia com as energias de perfeição.

Fonte: Copag da Amazônia

Rei de Espadas

Palavras-chave: Um Médico, Um Homem Negro ou Oriental, Um Mestre, Um Professor, Um ancião.

Interpretação: Durante a Idade Média, este naipe foi associado ao Rei Davi, sábio estrategista e músico judeu que libertou seu povo e governou com vitória por volta de 1050 antes de Cristo. A carta, também, em alguns baralhos, foi representação do arcano maior do Diabo no tarô, como no jogo de cartas "Love Cards Jonh Lenthal", baralho de amor inglês criado por volta de 1710.

Pode representar tanto o sábio Davi quanto o manipulador diabo. Indica um curandeiro, um médico, e ainda um homem negro ou oriental. Indica alguém com poderes paranormais.

Observações: Uma sequência de dama, valete e rei de espadas significa um grande poder mental, dependendo da carta que vier junto, se for uma boa carta, indica poder espiritual e grande inteligência, mas, caso esteja acompanhada de cartas negativas, indica um grande problema enfrentado pelo consulente, como roubos, sequestros, tráfico de drogas, ação de grupos de malfeitores, máfia, crime organizado, ação de magia negra e assassinato.

Indica ainda ação de polícia ou forças armadas.

Fonte: <http://englishrussia.com/index.php/2008/10/02/playing-cards-from-ukraine/#more-2078>. Acesso em março/2011.

Rei de Espadas em Estilo Ucraniano

Este rei de espadas possui um olhar desafiador, assim como as outras figuras pertencentes ao naipe de espadas. Ele segura sua espada com firmeza e com a outra mão desliza seu dedo indicador no fio da lâmina, com a intenção de intimidar seu inimigo. Ele é o homem de guerra e um sábio. Veste-se de vermelho, cor associada ao elemento fogo, que é ação. E está envolvido por uma pele de lobo, animal astucioso, caçador e que vive em bandos.

Fonte: <www.englishrussia.com>. Acesso em março/2011.

Rei de Espadas Maia publicado na antiga URSS (Atual Rússia)

O rei de espadas maia possui uma expressão séria e intimidadora em seu perfil, segura um cetro com fogo na ponta superior. Ele é um feiticeiro, pois domina as energias superiores e interfere no carma. É um sábio, um mestre que guarda seu conhecimento, transferindo-o somente para aqueles que são capazes de superar seus próprios obstáculos e seus próprios medos.

Naipe de Ouros: Elemento Terra

O naipe de ouros representa o elemento terra. Esta é a representação da criação, da vida, é um elemento feminino sendo muito associado com o útero materno, domínio da deusa-mãe. A terra produz o alimento para os seres vivos, dela vem a vida e também a vida retorna, porque quando morremos, faremos parte da terra também e de nós virão outras vidas. Assim, esse elemento é cíclico, renovador, nele encontramos a morte e a vida unidos e separados.

A terra é um elemento que produz a matéria viva e transforma a matéria morta em, novamente, matéria viva. Da terra vem os minerais, como a prata, o ouro, o cobre, o níquel, assim como as pedras preciosas, diamantes, turmalinas, safiras, jades, rubis, entre outros. Esse elemento que produz os alimentos, gera a vida e a morte, produz as riquezas que o homem se utiliza; ele simboliza tudo aquilo que é material e financeiro. Em questões amorosas, representa o amor carnal; esse elemento ainda representa os negócios, o trabalho, a vida profissional do ser humano, o seu sustento material.

O trabalho é antes de tudo parte do ser humano; ele deve realizar-se por meio dele e não ser escravo dele. O ouro produz a cobiça, a ganância, a inveja, a disputa de poder, as guerras, o preconceito, a desigualdade social, o luxo exacerbado, por isso, devemos utilizar o ouro com sabedoria para não sermos escravizados por ele. O sábio acredita que o Universo produz e emana tudo aquilo que é necessário para a nossa sobrevivência, basta apenas nos conectarmos com a perfeição que rege tudo; para isso, devemos realizar e acreditar, trabalhar e ter fé na providência divina.

Para sermos prósperos devemos afirmar sempre a prosperidade em nossas mentes, mesmo quando os momentos tornam-se difíceis, como o desemprego ou a baixa dos negócios de uma empresa. A criatividade e o prazer devem reger o trabalho. Os ciganos são prósperos: comem e bebem, realizam suas festas com fartura, possuem seu ouro, não são escravos do sistema capitalista, pois trabalham para seu sustento apenas, e não para gerar o lucro do sistema. Assim, eles possuem seus próprios negócios ligados ao comércio e utilizam os oráculos também para ajudar a adquirirem o seu ouro. Na tradição cigana, a leitura de oráculos sempre deve ser retribuída com pagamentos ou trocas, por isso, quando o leitor começar a exercer a prática de qualquer oráculo ao seu próximo, deverá pedir algo em troca ou estabelecer um preço simbólico pelo seu trabalho.

A mulher cigana estuda os oráculos desde muito nova, geralmente no início da pré-adolescência. Há homens que também estudam ou leem os oráculos, mas tradicionalmente é um dom feminino, pois as mulheres possuem o dom da magia inato. Elas carregam consigo o poder do bem e o poder do mal, a pureza e a impureza.

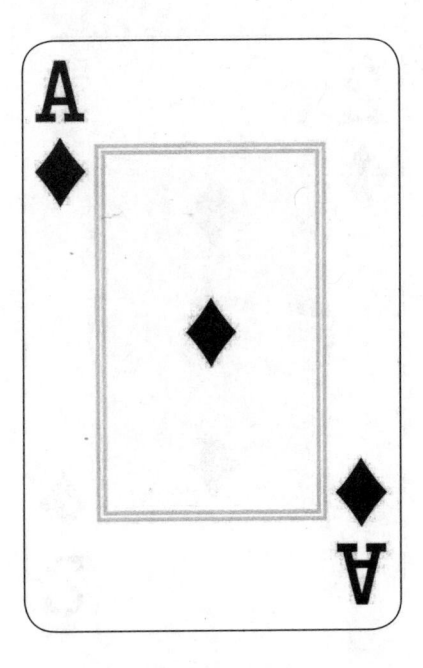

Fonte: Copag da Amazônia

1) Ás de Ouros

Palavras-chave: Um Presente, Sorte Plena Material, Dinheiro Rápido, Sucesso.
Interpretação: Indica que o consulente receberá em breve um presente material ou terá sucesso rápido em sua vida profissional, também um dinheiro rápido ou a resolução rápida de sua vida material.

Fonte: Copag da Amazônia

2) Dois de Ouros

Palavras-chave: Mensagem, Comunicação.

Interpretação: Significa uma mensagem que o consulente irá receber de alguém. Se a mensagem será boa ou não, basta observar as cartas próximas a esta.

Fonte: Copag da Amazônia

3) Três de Ouros

Palavras-chave: Paixão ou Dinheiro.

Interpretação: Uma ardente paixão ou, caso venha acompanhada por outras cartas relacionadas ao mesmo naipe, significa dinheiro.

Esta carta acompanhada por um quatro vermelho, de ouros ou copas, significa um encontro sexual.

Fonte: Copag da Amazônia

4) Quatro de Ouros

Palavras-chave: Um Documento Oficial ou Uma Recompensa Material ou Imaterial, Reconhecimento.

Interpretação: Caso esta carta esteja acompanhada por um valete de espadas ou um rei de espadas, significa algum processo judicial que o consulente tomará parte. Mas, se esta carta estiver acompanhada por outras, significa um reconhecimento ou recompensa pelos seus atos.

Fonte: Copag da Amazônia

5) Cinco de Ouros

Palavra-chave: Desejo.
Interpretação: O desejo é a carência humana do querer, do conquistar. O excesso do desejo leva ao sofrimento, porém, a falta do desejo acarreta uma vida sem sentido; portanto, devemos sempre estar em equilíbrio sobre os nossos reais desejos.

Fonte: Copag da Amazônia

6) Seis de Ouros

Palavras-chaves: Realização Material ou Profissional, Surpresas.
Interpretação: Indica uma realização profissional ou material, financeira. Também pode significar uma surpresa, que será boa ou má, dependendo das cartas que estiverem ao seu redor.

Fonte: Copag da Amazônia

7) Sete de Ouros

Palavras-chave: Pouco Dinheiro ou Muito Dinheiro.

Interpretação: Esta carta possui dois lados; o lado que tiver mais ouros (cinco losangos vermelhos) significa muito dinheiro para o consulente, já o lado que tiver menos ouros (três losangos vermelhos) desenhados significa um pouco de dinheiro.

Fonte: Copag da Amazônia

8) Oito de Ouros

Palavra-chave: Uma Proposta de Trabalho

Interpretação: Um trabalho será oferecido ao consulente. O número oito representa a ligação entre o céu e a terra, entre o mundo espiritual e o mundo material, a vontade e a concretização da vontade, é também a representação do infinito.

Fonte: Copag da Amazônia

9) Nove de Ouros

Palavras-chave: O Destino.

Interpretação: A força inteligente da vontade de Deus-Pai-Mãe, o rio que flui. O destino é o vento incontrolável que leva nossas almas, uma força que não depende de nossas escolhas. É a força que rege a vida e a morte, o incontrolável, a fatalidade. Os povos bárbaros da Europa acreditavam que o destino era inexorável. Nos ensinamentos católicos, Jesus Cristo disse: "Pai, seja feita a vossa vontade, e não a minha!".

O destino é o livro traçado pelas mãos invisíveis do Universo, regido por sua inteligência suprema. Cada ser humano possui um destino, uma história que cria ao longo de sua vida e que é criada por essa força indomável.

Fonte: Copag da Amazônia

10) Dez de Ouros

Palavras-chave: Prosperidade, Vitória em Dinheiro.

Interpretação: Representa o sucesso pleno e absoluto no campo material, a prosperidade verdadeira, o alimento farto, o dinheiro que nunca falta e aumenta a cada gasto. Para sermos prósperos, devemos ser generosos com o que temos, buscando ajudar o outro, a Natureza e contribuindo para a circulação do dinheiro justo. O Universo alimenta aqueles que possuem o coração puro e verdadeiramente ético. A prosperidade é muito diferente de acúmulo de capital.

Fonte: Copag da Amazônia

Valete de Ouros

Palavras-chave: Pureza, Um Anjo Protetor, Jovem Louro ou Ruivo, Uma Criança, Sorte Material.

Interpretação: Esta carta representa um jovem louro ou uma criança do sexo masculino ou feminino. Ainda pode significar o amparo da proteção angelical e pureza, inocência. Quando esta carta estiver acompanhada de um três vermelho (copas ou ouros) e um quatro vermelho (copas ou ouros), juntos, significa gravidez. Se esta carta estiver acompanhada de um nove de ouros ou um quatro de espadas, significa alta proteção espiritual. O valete de ouros pode ainda representar um animal de estimação ou entes mágicos, os elementais, como: fadas, duendes, gnomos, sílfides, ondinas, salamandras. Ela representa, sobretudo, a ação espiritual na vida do consulente, a interferência divina no mundo material.

O valete de ouros foi criado para representar Heitor, o príncipe de Troia, no livro *Ilíada*, do grego Homero. Sua espada virada para baixo indica sua morte no duelo travado contra o herói aqueu, Aquiles.

Esta carta também representa sorte material, sorte nos negócios, dinheiro ou bens materiais entrando em uma semana na vida do consulente.

Fonte: <http://englishrussia.com/index.php/2008/10/02/playing-cards-from-
-ukraine/#more-2078>. Acesso em março de 2011.

Valete de Ouros em Estilo Ucraniano

O jovem arqueiro veste-se de verde, que é a cor que representa as árvores da floresta, o reino vegetal. O falcão é seu animal protetor e indica, além de sua ligação com o mundo animal, sua pureza, leveza e liberdade. Seu olhar é doce, meigo e puro como o olhar dos anjos. A ave é um animal do ar, assim como as penas de suas flechas, que também representam o elemento ar; isto indica sua íntima ligação com a espiritualidade e sua manifestação no mundo terrestre.

Fonte: <www.englishrussia.com>. Acesso em março/2011.

Valete de Ouros Maia publicado na antiga URSS (Atual Rússia)

Este valete de ouros coloca sua mão direita sobre seu coração indicando que age de acordo com as regras ditadas por ele, enquanto olha para o alto, levantando sua outra mão, como se clamasse ao reino espiritual.

Fonte: Copag da Amazônia

Dama de Ouros

Palavras-chave: Uma Mulher Racional e Dominadora, Mulher Loura ou Ruiva, Mulher Independente, A Mãe.
Interpretação: Representa uma mulher loura ou ruiva, jovem ou mais velha. Também pode indicar a mãe do consulente. A dama de ouros também significa êxito profissional, ganhos financeiros. Ao lado do rei de ouros, o êxito será ainda maior. Em casos amorosos, pode representar uma rival para a mulher consulente, principalmente acompanhada pelo sete de espadas, carta que também significa traição.

É conhecido que esta carta simboliza a amante preferida de Carlos VII (1421-1450), Agnès Sorel, e também a esposa mais querida de Jacó, na Bíblia, Raquel.

Pode também indicar uma desconhecida do consulente.

Fonte: <http://englishrussia.com/index.php/2008/10/02/playing-cards-from-
-ukraine/#more-2078>. Acesso em março de 2011.

Dama de Ouros em Estilo Ucraniano

A dama de ouros olha seu reflexo no espelho, mas toca com a outra mão seu colar de rubis e ouro. Ela representa aquela que está ligada ao mundo material, aos desejos de construção do trabalho, aos desejos carnais e instintivos. Seu lado negativo é a ganância e a vida exageradamente ligada ao mundo material e ao trabalho.

Fonte: <www.englishrussia.com>. Acesso em março/2011.

Dama de Ouros Maia publicado na antiga URSS (Atual Rússia)

Esta dama de ouros coroada com uma serpente segura com suas duas mãos um gatinho negro. A serpente enrolada é o conhecimento e a proteção que lhe dá toda a sorte para suas conquistas materiais. Sua atenção para o gatinho e o fato de segurá-lo com ambas as mãos indica seu apego ao que ela vê, o apego às coisas do mundo que os sentidos lhe informam, o apego material.

Fonte: Copag da Amazônia

Rei de Ouros

Palavras-chave: Um Homem Estrangeiro ou Um Homem Louro ou Ruivo, Homem de Negócios, O Pai.

Interpretação: Representa um êxito financeiro e profissional. Indica também um homem estrangeiro ou define um homem de pele muito clara e cabelos claros. Pode ainda significar um ótimo negócio ao consulente e também um homem ligado aos negócios e ao mundo do trabalho, e dos ganhos materiais e administrativos. Seu lado negativo indica âmbição, materialismo, ganância e egoísmo. Pode indicar o pai do(a) consulente.

Observação: Uma trinca: dama, valete e rei de ouros representa um grande êxito financeiro, riqueza, abundância e prosperidade total.

Historicamente, sabe-se que esta carta foi criada para representar Caio Júlio César, o grande imperador romano que conquistou toda a região da antiga Roma, parte da Ásia, Oriente Médio e parte da Europa. Foi, sem dúvida, um grande guerreiro conquistador. Nessa época, Antiguidade Clássica, as conquistas de terras e subjugo dos povos eram o que tornavam os guerreiros ricos e reconhecidos pelo seu império.

Fonte: <http://englishrussia.com/index.php/2008/10/02/playing-cards-from-
-ukraine/#more-2078>. Acesso em março de 2011

Rei de Ouros em Estilo Ucraniano

Este rei de ouros gordo indica sua vida de luxo e esbanjamento. Sua atenção voltada para o papel indica seu pensamento concentrado em seus ganhos materiais.

Fonte: <www.englishrussia.com>. Acesso em março/2011.

Rei de Ouros Maia publicado na antiga URSS (Atual Rússia)

O rei de ouros em estilo maia é um guerreiro, assim como o imperador romano César. Ele segura a sua lança e demonstra estar pronto para sua batalha; ele consegue suas conquistas materiais com a força de seu empenho, ao contrário do rei de ouros da página anterior, em estilo ucraniano que conquista seus bens materiais pelo comércio e pelo acúmulo.

Métodos para A Leitura das Cartas

A metodologia das cartas é associativa, ou seja, devemos relacionar cada significado das cartas e uni-los ao contexto com as outras, sempre analisando em grupos de quatro em quatro ou de três em três cartas. Também sempre lemos da direita para a esquerda. Antes da leitura, embaralhe bem as cartas, faça uma oração indicada por sua intuição com o consulente, pedindo proteção e auxílio na intuição para a interpretação das cartas; em seguida, peça ao consulente para cortar o monte em três partes.

1) Método Simples das Quatro Cartas

O número quatro representa os quatro elementos: terra, fogo, água e ar. Lemos sempre da direita para a esquerda; as duas primeiras cartas da direita simbolizam a situação presente, e as duas da esquerda representam o futuro.

Embaralhe as cartas. Peça para o consulente cortá-las em três montes, com a mão esquerda. Junte-os e faça um leque com elas. Peça para o consulente tirar quatro cartas.

Este método é muito simples, o qual poderá auxiliar o consulente a responder perguntas, esclarecendo dúvidas de forma rápida.

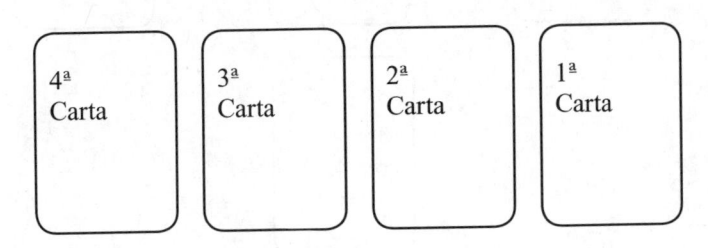

4ª Carta	3ª Carta	2ª Carta	1ª Carta

2) Método para saber o que está ao seu redor durante o dia, ou o que virá mais rapidamente (Futuro Próximo)

Embaralhe as cartas. Peça para o consulente cortá-las em três montes, sempre com a mão esquerda. Junte-os, distribua quatro cartas em forma de cruz; estas devem ser retiradas debaixo do monte que você segura com uma das mãos. Feito isso, cubra-as com mais quatro retiradas de cima do monte, depois com mais quatro retiradas debaixo do monte novamente e, por fim, cubra-as com mais quatro retiradas de cima do monte. Faça um leque com o monte e peça para o consulente retirar uma carta, esta ficará virada para baixo, assim como todas as outras, mas no centro da cruz. O primeiro leque de cartas que deverá ficar acima da cruz simboliza a preocupação do consulente e/ou o acontecimento mais próximo. O segundo, o terceiro e o quarto leques representam acontecimentos envolvidos ou não, mas que também acontecerão em breve. A carta do centro é a mensagem principal para a reflexão do consulente, a qual lhe dará um caminho, uma direção, uma decisão.

Este método é de leitura de presente ou futuro muito próximo, podendo ser utilizado todos os dias para auxiliar na visão dos acontecimentos quotidianos, alertando-nos de possíveis acontecimentos dolorosos e alegres.

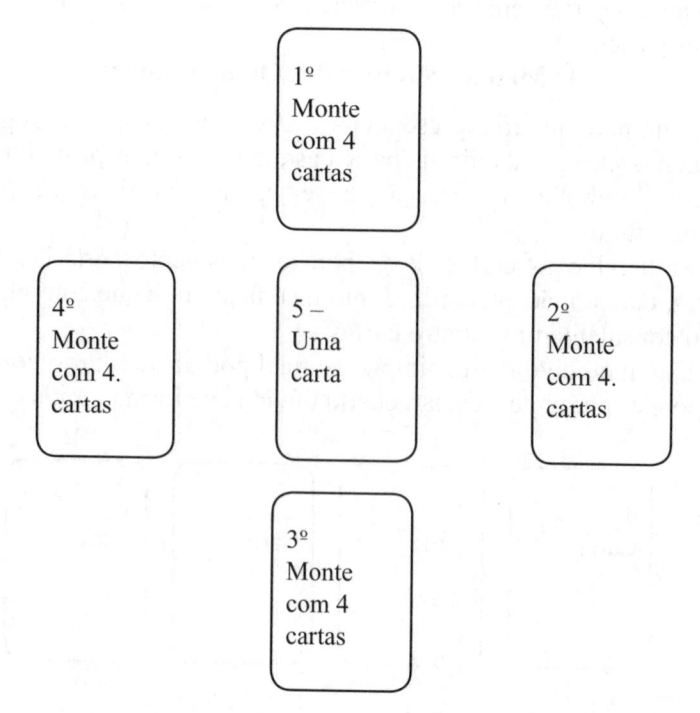

	1º Monte com 4 cartas	
4º Monte com 4. cartas	5 – Uma carta	2º Monte com 4. cartas
	3º Monte com 4 cartas	

3) Método das nove cartas

O número nove representa três vezes o número três que, por sua vez, é a trindade da mãe. Toda mulher passa pelas três fases: a virgem, a mãe e a anciã. O três representa o próprio tempo: o presente, o passado e o futuro.

Embaralhe as cartas. Peça para o consulente cortá-las em três montes, com a mão esquerda. Junte-os, distribua nove cartas formando três linhas horizontais, retirando-as debaixo do monte; cubra cada uma delas com mais nove cartas retiradas de cima do monte, cubra novamente com mais nove retiradas debaixo do monte e finalize com mais nove retiradas de cima do monte. Você terá nove leques de cartas que deverão ser abertos e lidos sempre da direita para a esquerda. Cada leque de cartas deve ser lido com atenção, sempre relacionando carta com carta e com o uso da intuição, pois esta é a manifestação de seu "Eu Superior", que é seu contato direto com "o todo" da perfeição do Universo.

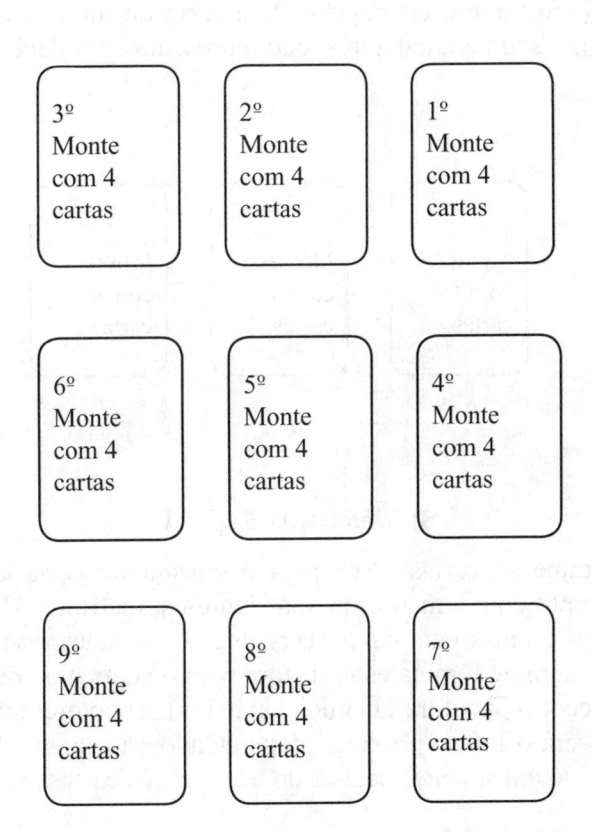

3º Monte com 4 cartas	2º Monte com 4 cartas	1º Monte com 4 cartas
6º Monte com 4 cartas	5º Monte com 4 cartas	4º Monte com 4 cartas
9º Monte com 4 cartas	8º Monte com 4 cartas	7º Monte com 4 cartas

4) Método do Sol

Embaralhe as cartas. Peça para o consulente cortá-las em três montes, com a mão esquerda. Junte-os e distribua 21 cartas que devem ser retiradas debaixo do monte, todas sempre viradas para baixo. As cartas deverão ser dispostas em círculo. Feito isso, distribua três cartas no centro do círculo, formando três montes, cada carta retirada debaixo do monte, cubra-as com mais três retiradas de cima do monte, depois com mais três retiradas debaixo do monte e, por fim, com mais três retiradas de cima do monte. Assim, formando três leques que você deverá abrir e ler por último para o consulente. As cartas do círculo deverão ser viradas pelo consulente na sequência de três. Peça para o consulente concentrar-se e virar as cartas, aleatoriamente, ou seja, em qualquer sequência. O consulente deverá virá-las com a mão esquerda, pois essa mão é aquela que recebe energia do universo e a direita a que doa energia ao próximo. Conforme o consulente virar as três cartas do círculo, você irá interpretá-las e assim sucessivamente, até que todas do círculo estarão viradas. Por fim, leia todo o círculo sempre da direita para a esquerda, começando do alto do círculo.

O número vinte e um representa a carta do mundo no tarô, sua soma: dois mais um é igual a três, que representa a trindade da mãe.

3º Monte com 4 cartas	2º Monte com 4 cartas	1º Monte com 4 cartas

5) Método da Espiral

Embaralhe as cartas. Peça para o consulente cortá-las em três montes, sempre com a mão esquerda. Junte-os, distribua 21 cartas em espiral, todas viradas para baixo. Pergunte ao consulente se ele deseja que você as abra de fora da espiral (fora para o centro) ou de dentro da espiral (do centro para fora). O início da leitura será o presente, e o final da espiral, será o futuro próximo, dependendo da escolha de abertura das cartas pelo consulente. Leia-as de três em três cartas.

A espiral representa a energia kundalini, energia da criação universal, presente em cada ser vivo. A espiral também é associada com a serpente.

Espiral

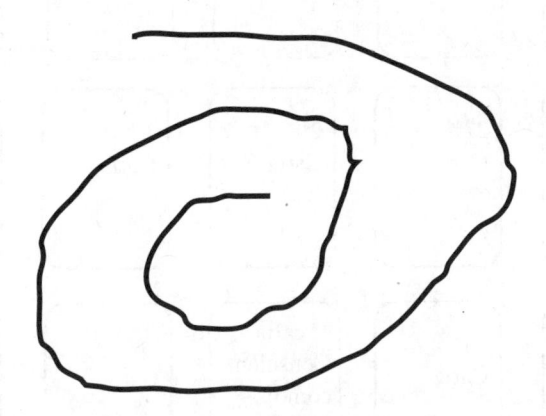

6) Método da Cigana Lúcia

Olhe para seu consulente e marque-o com uma figura; por exemplo, um rei de paus, caso seja um homem. Retire esta carta do monte e coloque-a no centro. Embaralhe as cartas. Peça para o consulente cortá-las em três montes, sempre com a mão esquerda. Junte-os, retire as primeiras cartas debaixo do monte, sendo que a primeira deve ser colocada acima da figura do consulente, a segunda embaixo dela, a terceira acima, e a quarta embaixo. Depois distribua de forma vertical à esquerda, dê um espaço de uma carta e coloque mais quatro, mais quatro do lado direito da figura do consulente. Dê mais um espaço de uma carta e coloque mais quatro, todas na vertical. Complete esses espaços com mais quatro cartas, porém, retiradas de cima do monte. Leia e interprete-as da direita para a esquerda, na horizontal, e de cima para baixo, na vertical. Lembre-se que a última fileira da esquerda representa o futuro e o resultado final de um ciclo, enquanto que as quatro primeiras fileiras da direita, incluindo a fileira com a carta que simboliza o consulente, representam o presente. Feito estas duas formas de leitura, desça as cartas da seguinte forma: as duas primeiras da esquerda com as duas últimas da direita, formando uma leitura nova com quatro cartas. Faça desta forma sucessivamente até que todas sejam unidas. Esta leitura é complexa e bem completa.

1º Passo: Distribuição em Colunas e Leitura em Colunas e em Linhas, Sempre da Direita para a Esquerda.

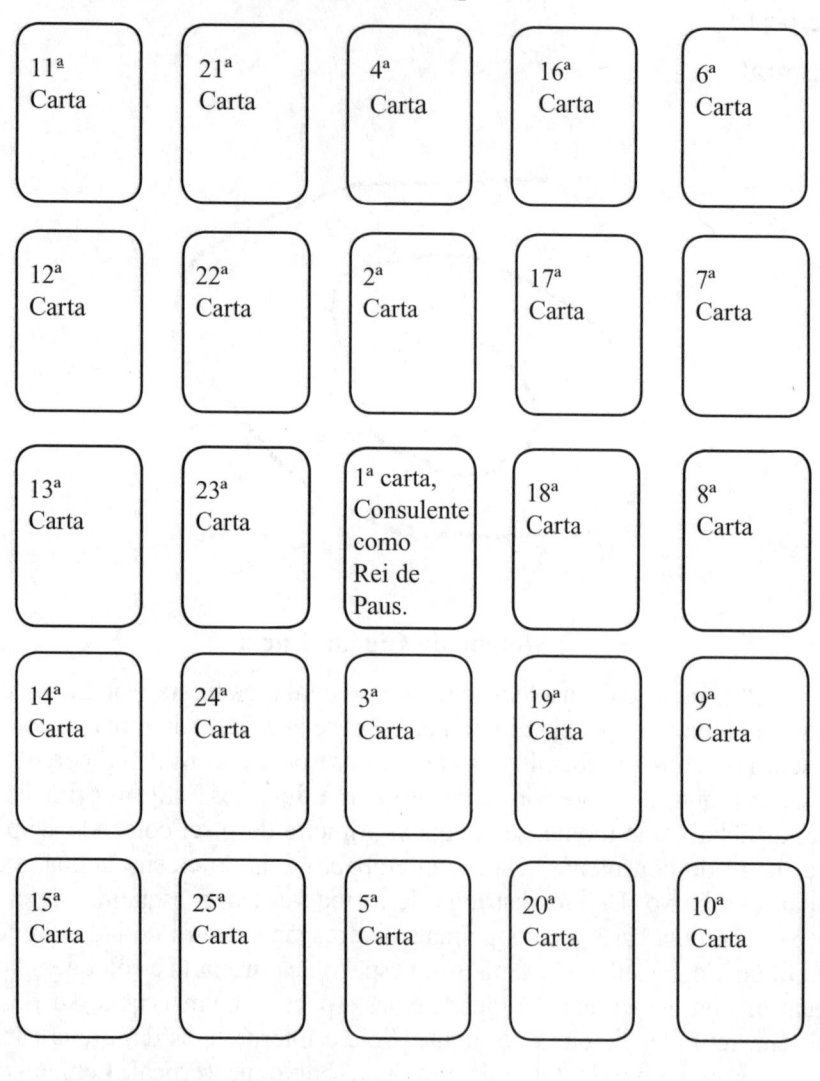

11ª Carta	21ª Carta	4ª Carta	16ª Carta	6ª Carta
12ª Carta	22ª Carta	2ª Carta	17ª Carta	7ª Carta
13ª Carta	23ª Carta	1ª carta, Consulente como Rei de Paus.	18ª Carta	8ª Carta
14ª Carta	24ª Carta	3ª Carta	19ª Carta	9ª Carta
15ª Carta	25ª Carta	5ª Carta	20ª Carta	10ª Carta

2º Passo: Descida das Cartas

11ª Carta	21ª Carta	20ª Carta	10ª Carta

7) Método para o amor

Marque com uma figura o consulente e com outra a pessoa amada, por exemplo, um rei de ouros e uma rainha de paus. Embaralhe as cartas. Peça para o consulente cortá-las em três montes, sempre com a mão esquerda. Peça também para que ele pense na pessoa amada no momento em que cortar o monte de cartas em três. Junte-os, coloque as figuras uma ao lado da outra com um espaço de uma carta. Espalhe as cartas sobre a mesa em forma de um grande leque, peça para o consulente retirar 13 cartas pensando na pessoa amada. Junte-as, embaralhe-as novamente, peça ao consulente que corte-as em três montes, concentrando-se mais uma vez na pessoa que ama. Distribua as cartas retirando-as de cima do monte; a primeira deve ficar entre os amantes e as outras distribuídas ao redor dos dois. Leia de forma horizontal, sempre da direita para a esquerda, e de forma vertical de cima para baixo. A carta entre os amantes é a principal, pois descreve o que há entre os dois, o que pode uni-los ou separá-los.

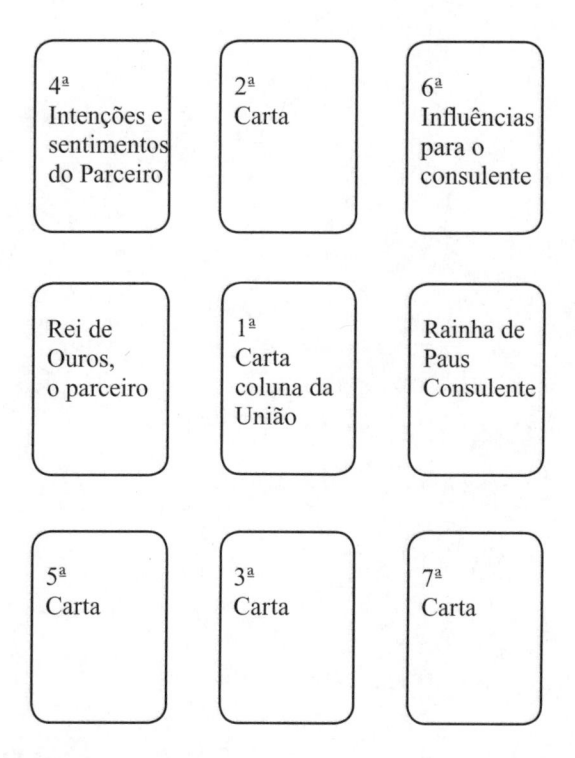

4ª Intenções e sentimentos do Parceiro	2ª Carta	6ª Influências para o consulente
Rei de Ouros, o parceiro	1ª Carta coluna da União	Rainha de Paus Consulente
5ª Carta	3ª Carta	7ª Carta

Considerações Finais

A cartomancia é uma arte que envolve a interpretação de uma linguagem puramente simbólica envolvendo a energia sábia do Universo, a energia do "Eu Superior" do(a) cartomante e a energia do "Eu Superior" do(a) consulente. As previsões servem como alertas para nossa própria evolução, descobrindo como lidar com as mais diversas situações, encarando os problemas como desafios para encontrarmos conosco, com nossas verdadeiras essências e com nossa própria força, que é parte da força criadora e perfeita do Universo.

O ser humano é palavra e símbolo, e as cartas revelam e afirmam isso.

Referências das Figuras

Fontes:
<www.wopc.co.uk>. Acesso em março de 2011.
<www.englishrussia>.com. Acesso em março de 2011.
Copag da Amazônia: <www.copag.com.br>.
<www.static.wix.com/media>. Acesso em março de 2011.
<www://atomo.blogspot.com/2007/07/if-you-like-to-gamble-i-tell-you-im.html>. Acesso em março 2011.

Referências Bibliográficas

ABRÃO, B. S. (org). *História da Filosofia*. Nova Cultural: São Paulo, 2004.
BAKHTIN, M. *Estética da Criação Verbal*. São Paulo: Martins Fontes, 2003.
BARROS, D. L. P. de. *Teoria Semiótica do Texto*. São Paulo: Ática, 2002.
BUCKLAND, Raymond. *Magia e Feitiçaria dos Ciganos*. Rio de Janeiro: Bertrand Brasil, 2000.
CALASSO, Roberto. *Ka*. São Paulo: Companhia das Letras, 1999.
CALDWELL, Ross. Blogue. *Spanish "Single Trump" Game*
Fonte: http://ludustriumphorum.blogspot.com/2009/03/spanish-single-trump-game.html. Acesso em maio de 2011.
CAVALCANTE, Ania. *O trabalho forçado e a política de extermínio de ciganos durante o nazismo, 1938-1945*. In: Anais do XIX Encontro Regional de História: Poder, Violência e Exclusão. ANPUH/SP – USP. São Paulo, 8 a 12 de setembro de 2008.
CHAUÍ, Marilena. *Introdução à História da Filosofia: dos Pré-socráticos a Aristóteles*. São Paulo: Companhia das Letras, 2002.
COSTA, Elisa Maria Lopes da. *Contributos Ciganos Para o Povoamento do Brasil (Séculos XVI-XIX)*. In: Arquipélago História, 2ª série, IX (2005).
ELIADE, Mircea. *Imagens e Símbolos: Ensaio sobre o Simbolismo Mágico-Religioso*. São Paulo: Martins Fontes, 2002.
FIORIN, J. L. *Introdução ao Pensamento de Bakhtin*. São Paulo: Ática, 2006.
FONSECA, I. *Enterrem-me em pé: a longa viagem dos ciganos*. São Paulo: Companhia das Letras, 2004.

HAWKING, Stephen. *O Universo numa Casca de Noz.* São Paulo: Mandarim, 2001.

HUIZINGA, J. *O Declínio da Idade Média.* São Paulo: Verbo: EDUSP, 1978.

JUNG, C. G. *O Homem e Seus Símbolos.* Rio de Janeiro: Nova Fronteira, 1977.

KRISTEVA, J. *História da Linguagem.* Portugal: Colecção Signos, 1969.

PEIRCE, C. S. *Semiótica e Filosofia.* São Paulo: Cultrix, 1982.

PEREIRA, C. Da Costa. *Ciganos: A Oralidade Como Defesa de Uma Minoria Étnica.*

_____. *Lendas e Histórias Ciganas.* Rio de Janeiro: Imago, 1991. 164 p.

QUILLET, Pierre (org.). *Introdução ao Pensamento de Bachelard.* Rio de Janeiro: Zahar Editores, 1977.

RAMANUSH, Nicolas. *Música Cigana: Eco de Liberdade.* In: Diálogo: Revista de Ensino Religioso, n. 57, Fev./Abr. 2010.

RUIZ, Solange Magrin; RUIZ, Marcelo. *O Livro de Ouro dos Ciganos Dourados.* São Paulo: Editora do Autor, 2009.

SAUSSURE, F. de. *Curso de Linguística Geral.* 17 ed. São Paulo: Cultrix, 1993.

SIMÕES, Silvia Régia de Freitas. *Ciganos: Perspectivas e Desafios Emergidos na Busca por Direitos Fundamentais.* In: Anais do II Seminário Nacional Movimentos Sociais, Participação e Democracia 25 a 27 de abril de 2007, UFSC, Florianópolis, Brasil.

ZIMMER, Heinrich. *Mitos e Símbolos na Arte e Civilização da Índia.* São Paulo: Palas Athena, 1989.

Leitura Recomendada

Os Ciganos na Umbanda
Alberto Marsicano e Lurdes de Campos Vieira

Assim como ocorre nas demais linhas, legiões e falanges que atuam na Umbanda, também os espíritos ciganos estão a serviço do mundo astral, sustentados por seus hierarcas, que são espíritos antigos e evoluídos de seu povo.

Essa linha ou corrente cigana é ampliada com o acolhimento de espíritos ciganos ou de espíritos não ciganos, mas que possuem afinidade com esse povo e são merecedores de trabalhar no contexto espiritual.

Clãs Ciganos de Luz do Astral
Marcelo Ruiz e Solange Magrin Ruiz

Os ciganos são conhecidos como filhos da natureza; como eles mesmos dizem, seu teto é o céu, sua luz são as estrelas e a sua religião é a liberdade. Creem em Deus (Dhiel) e são devotos de Santa Sara Kali.

Dom Fernando e Isabelita, quando viviam no acampamento cigano do clã ao qual pertenciam no mundo material, realizavam curas utilizando banhos, chás, cristais, encantamentos, rituais, tônicos, unguentos e elixires. Hoje, eles estão no plano espiritual e transmitem seus conhecimentos ao casal Solange e Marcelo Ruiz, que reuniram nesta obra os ensinamentos dos Clãs Ciganos de Luz no Astral.

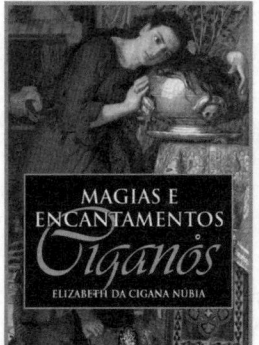

Magias e Encantamentos Ciganos
Elizabeth da Cigana Núbia

Este livro ensina o leitor a fazer magias e simpatias da tradição cigana, que poderão ser úteis em diversas situações que necessitem das forças cósmicas do Universo, as quais podem ser ativadas por todo aquele que acredita nessa energia etérea.

A autora enfatiza que tudo em nossa vida tem um tempo certo para acontecer. Por isso, até mesmo quando praticamos uma magia ou fazemos uma simpatia, é preciso ter calma, fé, otimismo, paciência, equilíbrio e a certeza de que conseguiremos tudo de acordo com o nosso merecimento.

www.madras.com.br

Leitura Recomendada

O Poder dos Clãs Ciganos
O Livro dos Encantamentos
Marcelo Ruiz e Solange Magrin Ruiz

Quando falam em ciganos, logo todos vislumbram um grupo de pessoas alegres, com roupas coloridas, muitas joias e outros adereços. Isto é verdade, é a característica da vestimenta do nosso povo; mas, acima de tudo, somos fortes, honrados, sábios, alegres e muito supersticiosos. Tudo o que fazemos na nossa rotina diária é feito com encantamentos e rituais que formam um campo energético que propicia a abertura de nossos caminhos, facilitando a conquista de nossos objetivos.

Tarô do Cigano
J. DellaMonica

Finalmente o leitor brasileiro tem em mãos o mais antigo, completo, autêntico e bem elaborado texto sobre o afamado Tarô Cigano. Essa esmeralda edição contém 36 cartas coloridas, em que estão as respostas às dúvidas, às perplexidades, às perguntas que todos nós formulamos – na verdade, às perguntasque temos de formular se quisermos ser os senhores de nosso destino. Tarô do Cigano é um livro para ser utilizado sempre, uma obra para presentear, uma obra que será nossa estrela-guia, necessária e amiga, fiel orientadora de nossos passaos e de nossas decisões. Realista, fundamentada, de valor perene – uma obra para o público adulto e inquieto de nossos tempos.

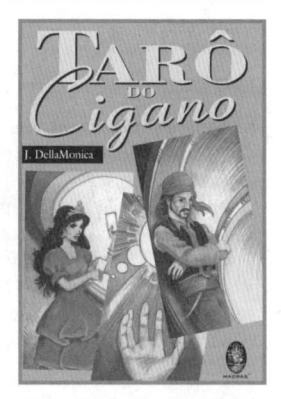

O Tarô Mitológico
Acompanhado das 78 Lâminas Coloridas
Juliet Sharman-Burke e Liz Greene

Muitos consultam as cartas de Tarô com a intenção de saber sobre o futuro ou receber um milagre, mas esse oráculo, ao contrário, nos ensina a desenvolver a nossa própria capacidade de enxergar probabilidades de caminhos reais para resolvermos nossos problemas que, até então, nos pareciam insolúveis.

Por muito tempo, o Tarô permaneceu como uma ferramenta obscura de adivinhação, mas agora O Tarô Mitológico vem nos ajudar a desvendar os mistérios da natureza humana pelo uso, em suas lâminas, de divindades da mitologia grega que antecedem os símbolos da cultura cristã.

www.madras.com.br

MADRAS Editora

CADASTRO/MALA DIRETA

Envie este cadastro preenchido e passará a receber informações dos nossos lançamentos, nas áreas que determinar.

Nome _____
RG _____ CPF _____
Endereço Residencial _____
Bairro _____ Cidade _____ Estado _____
CEP _____ Fone _____
E-mail _____
Sexo ❏ Fem. ❏ Masc.   Nascimento _____
Profissão _____ Escolaridade (Nível/Curso) _____

Você compra livros:
❏ livrarias   ❏ feiras   ❏ telefone   ❏ Sedex livro (reembolso postal mais rápido)
❏ outros: _____

Quais os tipos de literatura que você lê:
❏ Jurídicos   ❏ Pedagogia   ❏ Business   ❏ Romances/espíritas
❏ Esoterismo ❏ Psicologia ❏ Saúde   ❏ Espíritas/doutrinas
❏ Bruxaria   ❏ Autoajuda   ❏ Maçonaria ❏ Outros:

Qual a sua opinião a respeito desta obra? _____
_____

Indique amigos que gostariam de receber MALA DIRETA:
Nome _____
Endereço Residencial _____
Bairro _____ Cidade _____ CEP _____

Nome do livro adquirido: ***Cartomancia***

Para receber catálogos, lista de preços e outras informações, escreva para:

MADRAS EDITORA LTDA.
Rua Paulo Gonçalves, 88 – Santana – 02403-020 – São Paulo/SP
Caixa Postal 12183 – CEP 02013-970 – SP
Tel.: (11) 2281-5555 – Fax.:(11) 2959-3090
www.madras.com.br

Este livro foi composto em Times New Roman, corpo 11,5/13.
Papel Offset 75g
Impressão e Acabamento
Orgráfic Gráfica e Editora — Rua Freguesia de Poiares, 133 —
Vila Carmozina — São Paulo/SP
CEP 08290-440 — Tel.: (011) 6522-6368 — comercial@terra.com.br